Christian Art without honor and humanity

Cagami Kyosuke + Ikegami Hidehiro

仁義なき聖書美術

旧約篇

架神恭介＋池上英洋

筑摩書房

仁義なき聖書美術【旧約篇】　目次

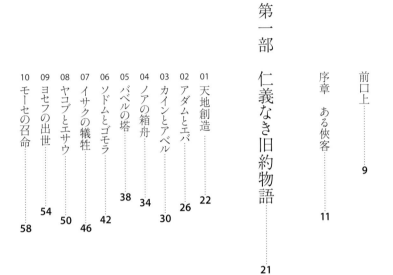

仁義なき聖書美術【旧約篇】

前口上

『仁義なき聖書美術』【旧約篇】である。

本書は、現代日本人のための西洋美術入門書として、旧約聖書の物語を紹介し、それらを題材とした美術作品の読み解き方を案内する一冊である。

全体は大きく二部構成となっている。第一部では聖書の物語を広島やくざ風に語り直してみた。なぜ広島やくざ風なのかについてはあえて説明しないが、これによって聖書の世界がみなさんにより身近なものとして感じられることだろう。

第二部では、第一部と違った美術史的な観点から、さまざまなテーマがどう表現されてきたのかを、具体的な解説とともにお届けする。

序章と第一部の本文は架神が、第二部の本文と両部の図版選定・図版解説は池上が担当した。

恐ろしくも鮮烈な聖書美術の世界を存分に味わっていただければ幸いである。

なお、姉妹編として【新約篇】も同時に刊行されている。あわせてお読みいただければ、より理解が深まることだろう。

著者識

序章　ある俠客

一六一〇年、イタリア半島西端――。

中天に輝く日輪の容赦ない熱線が砂浜を焼き焦がす中、青ざめた顔のやくざが一人、傷だらけの顔を苦々しく歪めて、呪詛を吐きながら海岸線を歩いている。

歩きながら男は幾度も後ろを振り返った。背後にあるのは男が最後の希望を託したローマの都。そして、背後から迫るは彼の命を狙う無数の刺客たち。「バンド・カピターレ」――、男は当局よりその布告を受けていた。これは、いつでも誰でも彼を殺して構わないという恐るべき殺人布告である。

「わしゃ、なんちゅう憐れなやくざじゃ！　わしのような憐れなやくざは三国を見渡しても一人としておらん！なんで、わしがこぎゃあな目に遭わにゃならんのじゃ」

やくざは涙をこぼし、己の身に降り掛かった不幸を繰り返し嘆いた。この男、その名をミケランジェロ・メリージといった。だが、世間的には、彼の出身地でもあるこの名の方が知られておろう。そう、カラヴァッジョ。

彼はやくざであったが同時に画家でもあった。それも数多のやくざ画で知られる高名な絵師であった。やくざ画とは巨大任侠組織キリスト組の伝説的侠客であるヤハウェ大親分や若頭イエスなどをモチーフとした絵画作品群の事である。

では、高名なるやくざ画家である彼が、なぜ迫りくる刺客に怯えながら、海岸を一人、打ちひしがれた姿で歩き続けているのか？　それを語るには彼の半生を振り返る必要がある。

カラヴァッジョは元々、公爵家執事を務める家庭に生まれた比較的裕福な小市民であった。だが、彼は生まれついての極道者でもあった。血の気が多く、粗暴かつ無軌道。博打を好み、酒を飲み、激昂しやすく、何かあれば思慮なく刃物を抜く。二十歳になる頃には既に家の財産を食い潰し、刃傷沙汰による収監経験もあった。

しかし、幸か不幸か。カラヴァッジョには優れた芸術的才覚もあった。彼がやくざ画において優れた力量を発揮すると、ローマの資産家や権力者は彼の作品に飛びつき、彼はにわかに大金を手にする。

大金を手にしたやくざ者は次に何をするか？　無論、酒と博打と女だ。そして、酒を飲んだやくざが博打と女に興じれば、当然そこには刃傷沙汰が付いて回る。

カラヴァッジョは地元の有力やくざ、トマッソーニ兄弟の事務所へと愚連隊仲間と共にカチコミをかけ、兄弟の一人を長ドスで刺し殺したのであった。抗争の原因は、カラヴァッジョが博打の負け金を払わなかったためとも、女性関係のもつれとも言われているが、もとよりカラヴァッジョは、気に食わぬ画家の作品を糞味噌に貶《けな》す怪文書を流したり、食堂の店員の態度が気に食わぬと皿を投げつけたり、職務質問してきた警官に投石するような、そういった人種である。彼のような男が酒を飲み、博打なり女なりで恨みを抱けば、人一人くらいは殺すであろう。

有力者を殺害したカラヴァッジョは、先に書いた通り「バンド・カピターレ」の布告を受けた。これは敵わぬと旅を打つことに決めた彼は、作品を制作し逃亡資金を確保。凶悪犯罪都市ナポリを経由し、マルタ島へと渡った。

この当時、マルタ島を縄張りとしていたのが任侠組織「聖ヨハネ騎士団」である。「騎士」とは武闘派やくざの尊称であるが、カラヴァッジョも常に長ドスを携帯し武闘派を自認していたものだから、彼は聖ヨハネ騎士団の金バッジを胸に付けることを夢見たのであった。なお、聖ヨハネ騎士団がその名を借りるヨハネとは、若頭イエスの兄貴分とされる伝説的やくざ「洗礼者ヨハネ」である。騎士団にはその洗礼者ヨハネの右手とされるものが伝わっていたが、その小指は欠損しており、この一事からも洗礼者ヨハネが極道者であったことは歴史的事実と断定できる。

さて、カラヴァッジョだが、彼は厳しい見習い生活を経て、大作『洗礼者ヨハネの斬首』を組に上納。晴れて騎士団の盃を受けたのであるが、彼のような粗暴極まる人間が一年間も見習い生活を我慢したなら一体どうなるであろうか？　そう、彼は盃を受けた僅か一ヶ月後、同組員の家を襲撃し、重症を負わせたのである。彼らの間に何があったのかは分からない。だが、カラヴァッジョのような人間が一年間も自分を抑え続けていたのだから、何らかの弾みで暴発したとて何も不思議ではない。

カラヴァッジョはマルタ島からも逃げ出した。追ってきた騎士団の刺客に襲われ半死半生となった彼は、傷が癒えるとローマへの帰還を企てる。恩赦を勝ち取るべく、賄賂代わりの自作の絵画数点を携えて船へと乗った。だが、ここからが不運だった。人相凶悪なカラヴァッジョは下船した漁村にて指名手配中の山賊と間違われ逮捕されてしまう。多額の保釈金を支払って釈放されたが、彼の荷を載せた船は一〇〇キロも北にあるポルト・エルコレに向けて出航した後だった……。絵が無ければローマに戻ることもできない。かくして、やくざ画家は灼熱の太陽に焼かれながら、絵を取り戻すべくトボトボと海岸線を歩き、やるせなき呪詛を吐き散らしていたのである。

「ほんまにわしは憐れじゃ。憐れで不幸なやくざじゃ。なんでわしがこぎゃあな悲惨な目に遭わにゃならんのじゃ……」

と、彼は身の不幸を散々に嘆くが、これまで一緒に振り返った通り、全ては身から出た錆《さび》であり、同情の余地は特にない。

真夏の直射日光に灼かれた画家の皮膚は赤く腫れて痛み、喉の乾きも耐え難く、視界は霞んでいる。聞こえてくるのは寄せては返す単調な波の音ばかり。代わり映えのしない波打ち際を歩むやくざの心境は悪夢の世界を彷徨《さまよ》うが如し。だが、夢と現《うつつ》の境を行き来する彼の視界に、突如として飛び込んできた異物があった。

――老人である。

着流し姿の老人が波打ち際に佇《たたず》んでいる。懐手にして、おもむろに近付いてくる。そして、その姿を遠目にした瞬間から、カラヴァッジョは呆然と立ち尽くしていた。あんぐりと口を開け、阿呆のように立ち尽くしていた。画家の全身は震えていた。鳥肌が立っていた。言語を絶する喩えられぬ程の脅威が、老人の姿で近付いてくる。後ろを向いて逃げ出すこともできない。膝が笑って言うことを聞かぬ。

相手はいかなる大極道者であろうか。恐るべきは老人が全身にまとわせる凄惨の気よ。そして、その凶悪の相。一人や二人殺《あや》めた程度でこのような貌《かお》になるはずがない。やくざとしての格が違った。貫目《かんめ》が違った。一体どこの大親分なのか。カラヴァッジョの股間が濡れた。失禁だ。老人の接近は死そのものの接近に等しかった。

「おう、外道。おどれがカラヴァッジョか」

「あ、うあ、うあああ……」

カラヴァッジョの視界が回る。いつの間にか老人が目の前に。鼓動が異常に脈打ち、脂汗が額から滴り落ちる。カラヴァッジョは震える手で、懐から必死にスキットルを取り出した。

「ウ、ウウウーッ！　ウプーッ！」

そしてブランデーを煽った。老人の眉間《みけん》に皺が寄り、双眸《そうぼう》に殺人者の昏《くら》い光が宿った。今にも画家を殺しそうだ！　老人の視線に射すくめられながらも、カラヴァッジョは口いっぱいのブランデーを慌てて飲み込むと、酒臭い息を吐き散らしながら必死に答えた。

「わ、わ、わしゃ、の、飲まんと、て、手ェが震えますけん！　お、親分さんの前で、て、手ェが震えちょったら、ふ、ふ、震えっちょったら、し、失礼じゃあ思いますけん！」

「……チッ。まあ、ええわい」

老人は眉間に皺を刻んだまま、最大限の寛容さを発揮して言った。

「そこらのドサンピンなら既に死んどるところじゃがの、わしゃ、おどれに用があるけえ。特別に許しちゃる。じゃがの、ええか、ここからの一言一句は全て命懸けじゃ思え」

画家は必死に頭を何度も縦に振った。振れば振っただけ僅かでも寿命が延びるかのように。ええか、と老人は諭すように言った。

「ええか、おどれはクズじゃ。極道者の風上にも置けんカスじゃ。惨めで卑しい腐り外道じゃ」

「ア、アウ、アウウ」

立て板に水を流すかの如く罵倒されたカラヴァッジョは気が動転してスキットルを必死に煽った。恐怖と混乱に打ちのめされた脳髄に火のような酒精が回っていく……。

「じゃがの、おどれはクズじゃが見込みがある。そう、このわしを描く資格がある。その可能性がある。他の外道どもも勝手にわしを描いちょるがの、どれもこれも取るに足らん代物ばかりじゃけえ」

目の前の老人は一体何を言っているのか。この老人は一体どこの組の大親分だと言うのか……。

「足りんのじゃ。貫目が。わしのやくざとしての威厳が。奴らの絵には足りんのじゃ。その点、おどれの画風には見込みがある。無論、陰影如きでわしの貫目を表現しきれりゃせんのじゃが、ミケランジェロやラファエロの小僧どもよりかは些《いささ》かマシじゃろうけえ、おどれで我慢しちゃる。そもそもわしを絵に描こういうんが腹立たしいんじゃが、何じゃ言うても、おどれらは信じがたい程に阿呆じゃけえ、絵でも無けりゃ、わしのこと尊敬できん言うじゃないの。まとめてブチ殺しちゃろうかと何度も思うたが、まあ、わしは誰よりも慈愛に富んだ心のぶち広いやくざじゃけえな」

酒精の回った画家の視界がぼんやりと歪み始める。目の前の老人が放つ度の過ぎた殺意が画家の中で飽和し、酒の力が現実を朧に見せ始める。画家は今一度、手を震わせながらスキットルを口元へと運んだ。

「それとな。わしゃもう一点、おどれを気に入っちょるところがある。のう、おどれの繊細さじゃ。たかが一人殺《バラ》した程度で怯え切って震え上がって思い詰めよる糞みたいなデリケートさじゃ。糞ビビりのおどれの恐怖が絵にも刻まれとる」

糞ビビり……と言われて、画家の麻痺した脳髄に微かな反発心が鎌首をもたげた。彼とて武闘派を自認するやくざなのである。

「そ、そ、そぎゃあにわしをビビりじゃ言いますけど……、そ、そんなら！　親分さんは、何人殺《バラ》した言うんですか！」

老人はフンと鼻で笑って、スッと指を二本立てた。

「ふ、二人……？　に、二十人!?」

「この糞馬鹿たれが！」

突如、老人は激昂し、憤怒の相を浮かべてカラヴァッジョの頭をグイと摑んだ。そして、殺すかの如き勢いでその顔面を砂浜へと叩き込む。自身の小便が染み込んだ砂が画家の鼻穴と口内に雪崩《なだれ》込み、息ができぬ！

「オゥ！　おどりゃ、わしを舐めちょるんか。わしがそぎゃあにケチ臭う殺《バラ》す思うちょるんか。二百万人に決まっとろうが！」

「ま、万……まん!?」

老人は画家の頭を力任せに片手で持ち上げた。勢い良く鼻血を噴出させる画家は、意想外の数字を受けて全身を恐怖に震わせている。そのざまを見て、老人が口角を上げてニタリと笑った。

「おう、ええど。その調子じゃ。わしの凄味がよう分かったようじゃのう。ええど、命懸けで描くんじゃ。つまらんモン作りよったら、わしが直々におどれを殺《バラ》しちゃるけえの」

老人は画家を無造作に砂浜に投げ捨てると、上機嫌になって鼻歌を歌いながら立ち去っていく。その後姿を見送る我らが画家は？　彼は震えていただけだろうか？

――いや、違った。彼は既に立ち上がっていた。メチルアルコールが画家の脳内を巡り切っていた。そうだ。彼はいつもそうだった。彼は何度も成功を成し遂げたではないか。名誉を得た。金銭を得た。地位を得た。そして、その度に酒に押された蛮行が彼から全てを奪い去ったのだ！

「おどりゃ死ね、糞爺い！」

走り出した画家の渾身のヤクザキックが老人の背中にめり込んだ。老人が呆気なく砂浜に倒れる。大の字になって倒れる。画家は足元に転がる爺を見下ろし、スキットルを口元に運んで呵々大笑した。

「ぎゃは、ぎゃははッ、なァ～にが親分じゃ！　コンの糞爺い！　人のことビビりじゃ外道じゃ好き勝手言いおってからに。二百万人バラしたじゃと～？　おどりゃ、言うに事欠いてようも言うたのう。そぎゃあな大量殺戮やくざ、伝説の大侠客ヤハウェ大親分を除いて、他におるはずなかろうがい！」

……が、そこで画家から漏れる笑いが突然に途切れた。

「なかろう……がい……」

口から漏れる言葉も力なく途切れる。彼は、見たからだ。砂に伏したままの老人の瞳を。画家を見上げる名状しがたき怒気を孕んだ獣の眼光を。老人の全身から発せられる凄惨の気に打たれて、画家の脳内からメチルアルコールが瞬間蒸発！　にわかに正気に戻った画家は再失禁を到底堪え切れぬ。

「ま、ま、まさ、か……。お、お、おおお大親分、さん……です、かい……？」

返答の代わりにもたらされたのは、ゆるりと立ち上がる老人の決然たる殺意であった。

瞬間、画家はもつれる足で駆け出していた。絶望的な恐怖に駆られて。背後から忍び寄る死の圧力に怯えて。いつ老人の手が自分の肩を摑むのか分からない。真っ赤に輝く太陽の下、真っ白な視界の中、画家は必死に逃げ走った。日輪の強烈な熱線が脳髄を灼き、全身は脂汗にまみれながらも耐え難い寒気に震える。狂いそうになる恐怖の中、全身をはち切れんばかりに駆動させて走る。走る！　だが、ちらりと背後を振り返ると、いる！　老人が、憤怒の相を浮かべた老人が！　走る。死ぬ気で走る。振り返る。いる！　引き離せない！　いる。老人が、いる！　憤怒の相を浮かべた老人が！　見事なスプリントフォームで追ってくる。走る。逃げる。叫ぶ。画家は叫ぶ。命懸けで叫ぶ！

「堪忍……堪忍してつかぁい！　堪忍してつかい！　堪忍してつかぁさァい！　堪忍してつかぁさァい！」

＊

後日──、
画家はポルト・エルコレにて瀕死の姿で発見された。現地住民の介護の甲斐もなく間もなく彼は衰弱死したが、画家は死ぬ間際までうなされたように赦しを乞い続けていたという。「堪忍してつかぁさい、堪忍してつかぁさい」と……。

世間では画匠カラヴァッジョはポルト・エルコレへの途上、熱病により死去したと伝えられている。

第一部

仁義なき旧約物語

STORY
01
創世記
Genesis

天地創造

神《ヤハウエ》の劇的ビフォーアフター

「フーム、なんから手ェ付けたもんかのう」

神の目の前にあったのは、よく分からない闇みたいな水みたいなものであった。いっちょ天地を創造したろうと、ふと思い立った神であったが、まずは手始めに、

「光あれ」

と、光を作ってみた。光と闇が分かたれ、光を昼と呼び、闇を夜と呼ぶことにした。「ま、こんなもんでええじゃろ」と思い、一日目の作業が終了した。

翌日、神は天を作った。地を覆うためのフタである。そこに満たされていた水がフタを境に上下に分かれた。このフタには一工夫があって、フタをいじると上の水が下に落ちて、雨となり雪となるのだ。匠《たくみ》の技であった。

「おう、ちいと端に寄らんかい」

三日目、神がそう言うとフタの下の水は一箇所に集まり海となって、水がなくなった場所を地と呼んだ。さらに神は地に草木を生んだ。

「フタんところに照明が欲しいのう」

四日目、大きな輝くものを二つ作った。一つは太陽で一つは月。さらには星々も作った。ところでこれらは自動的に動くのだが、匠はこれを一体何に使うつもりなのか？

五日目、神は海の中にクジラや魚を、空には鳥を生み出して飛ばせた。

六日目、神は地上に家畜や獣を作り、さらに、

「よっしゃ、ここで一丁、わしをモデルにやくざっちゅうもんを作っちゃろう」

と考えた。これまでに作った動物や植物などを管理させるためだった。

では、ここで神による施工以前と以後を比べてみよう。以前はモヤモヤとした混沌の海でしかなかった空間が、なんということだろう。水は天により分かたれて、下の水は一箇所に集められて地ができている。さらに天に輝く様々な照明。匠の粋なはからいにより、照明はオートメーションで稼働し、季節や年月までがわかるのだ。動物や魚で賑やかになり、シマを預るやくざまで付いた。混沌の海だった空間が天地万象に大変身したのである。

七日目、神は自らの匠の技に満足し、休憩した。

架神恭介の〈仁義なき解説〉

神が六日で世界を作り、七日目に休んだとされる有名な天地創造のシーン。創世記一章にて描かれている神話である。最初に混沌の海（秩序も生命もない創造以前の状態）があり、それを天（＝空）で区切って、区切られた上の方の水が落ちてきたら雨になるという自然現象の理解が面白い。

ところで、続く創世記二章では神がもう一度世界を創造しており、創造の順番も異なっている（「天と地」→「人」→「植物」→「動物」）。なのでそのまま読むと混乱するのだが、これは元々、創世に関する二種類の伝承があって、それを並べて書いたからではないか、と考えられている。そんな乱暴なことをされると現代人読者であるわれわれは困ってしまうが、聖書はいかんせん大昔の人間が書いたものだ。まあ、そういうこともあるだろう。色々と感覚が違うのである。アダムの肋骨でエバ（イヴ）を作ったエピソードは、二章の二つ目の創造の方で描かれる物語だ。

図1　ヤコポ・トッリーティ、《天地創造》、1290年代、アッシジ、サン・フランチェスコ大聖堂／天地創造の七日間の出来事が一画面で説明されている。アダムの背景は「マンドルラ（アーモンド型）」で、女性の子宮のメタファーである。

図2　ミケランジェロ・ブオナローティ、《天地創造》より、1508-12年、ヴァチカン、システィーナ礼拝堂／神が太陽と月を創造している場面。いかめしい神はひと仕事終えると、かわいらしいお尻を見せながら、次は植物の創造工程に入っている。

図3　作者不詳、『ビブル・モラリゼ』より、1220年代、ウィーン、オーストリア国立図書館／古代から、巨大なものの作り手といえば建築家である。そのため天地の創造主たる神が、コンパスを持つ姿で描写されている。

STORY
02
創世記
Genesis

アダムとエバ

楽園追放のよくわからない真相

「お、おどりゃ、何しようるんじゃ！」

「だってえ、旨そうじゃったけえ……」

そう言うと、妻のエバ（イヴ）は手に持った果実をアダムに差し出してきた。ごくり……とアダムが喉を鳴らす。確かに旨そうである。

アダムとエバのやくざ夫妻は親分である神ヤハウェからエデンの園をシマとして預かっていた。園からは自由にカスリを取って良いと言われていたが、ただ一つ禁じられていたのは、善悪を知る木の実を食べることであった。「死ぬことになるど、おどれ」と神はキツく脅してきたものだ。

だが、エバいわく、親切な蛇が「食っても死んだりせんですわ」と教えてくれたという。死ぬどころか、これを食べればヤハウェ親分のように善悪を知ることができるようになるのだ、と。

結局、妻に勧められるままアダムも実を食べたのだが、すると途端に彼は、あることに気付いて驚き叫んだ。

「わしら、裸じゃないの！」

「いやん」

二人は慌てていちじくの葉で股間を隠したが、そこに親分が憤怒の形相で現れたのである。

「おどりゃ、この糞ばかたれ」

アダムとエバは必死に弁解し、蛇に罪をなすりつけたが、親分の怒りは収まらない。

「こぎゃん悲しいことないわい。わしゃのう、おどれらがわしのシマで楽に暮らしていけるように思うて若頭に命じたんじゃろうが。なんでわしの親心が分からんのじゃ。おどれらは破門じゃ。これからは額に汗して働くんじゃ。おどれらはわしが塵《ちり》から作ったもんじゃけえ、いずれは塵に帰る運命じゃ。わしゃ言うたろうが、食ったら、おどれらは死ぬことになる言うて、のう」

神は二人を追放し、園の東にガードマンを置いた。だが、二人の姿が見えなくなってから、神は「フゥ」と溜め息を吐いて冷や汗を拭い、善悪を知る木の隣りにある生命の木を見上げた。

「なんちゅうパープーどもじゃ。わしらのように善悪を知るようになりおったわい。あいつら、放っといたら生命の木の実も食らって不死身のやくざになりかねんとこじゃったわ」

架神恭介の〈仁義なき解説〉

有名なエピソードであるが、なんだかよく分からない。「善悪を知る木の実」の効果は一体何なのか。よく言われるのが、「本来は神の専売特許である善悪の倫理基準を定める権利を、勝手に行使できるようになる」というもので、アダムとエバが股間を隠した(まるだしはダメと勝手に判断した)ことを考えると、そのようにも受け取れる。一方で、「善悪を知る」は「AからZまでを知る(全てを知る)」という意味で、倫理的問題に限定されず全知全能になる、という解釈もある。どちらにせよ神の存在に近付こうとする反抗的行為ということだろう。「生命の木の実」もよく分からない。これを食べることは禁じられていなかったので、それまでは普通に食べていた気もする。この二つの木の実を食べて神に伍する存在になることを神は恐れたのか、それとも「罪を負った身で永遠に生きるのは辛いだろう」という一種の配慮なのか。解釈は様々ある。

図4　ヒエロニムス・ボス、《最後の審判》祭壇画の翼画面、1482年頃、ウィーン、アカデミア美術館／最下部でエバの創造が、そしてそのすぐ上で原罪が描かれ、さらに少し上部では楽園から追放されたふたりが天使から追い立てられている。同一人物が複数回登場するこの手法を「異時同図法」と呼ぶ。

図5　アレクサンデル・カバネル、《アダムとエバの楽園追放》、1867年、ビバリー・ヒルズ、19世紀美術館／官能的な《ヴィーナスの誕生》で名高いカバネルは、楽園追放の場面でもやっぱり肉体表現が艶っぽい。バヴァリア王マクシミリアン二世からの注文作品。

図6　シャルル＝ジョゼフ・ナトワール、《楽園追放》、1740年、ニューヨーク、メトロポリタン美術館／手を合わせて赦しを乞うアダム。父なる神の頭部には、三位一体をあらわす三角形の後光が描かれている。

STORY 03 創世記 Genesis

カインとアベル

神のえこひいきが招いた人類最初の殺人事件

ヤハウェ親分の前に二人のやくざが上納品を持って現れた。

カインとアベルの兄弟である。農耕を営む兄のカインは収穫物を、牧羊を営む弟のアベルは羊の初子を手にしていた。

だが、ヤハウェはアベルの羊は受け取ったが、カインの上納品には目もくれずに、

「カァ〜」

と唸《うな》り、痰《たん》を吐き捨てた。親分のこの態度に内心、「はあ？」と思ったカインであったが、憤怒の形相を隠して必死に顔を伏せた。

だが、ヤハウェは見逃さなかった。

「おどりゃ、なんじゃその態度は。顔上げてわしの目ェ見んかい」

カインは顔を伏せたままぷるぷると怒りに震えた。その鬱憤はアベルへと向かうことになった。アベルを畑に誘いだすと棍棒で弟の頭を乱打したのだ。

「おどりゃ、舐め腐りおって。ばかたれ、この糞ばかたれ」

「痛い！　何しようるんじゃ兄ィ、痛い！」

「ばかたれ！　ばかたれ！」

ついにアベルはドサリと大地に倒れ、その頭からピューっと血が迸《ほとばし》った。するとアベルの血を吸った大地がグ

ワワと割れて口を開き、そこから怨嗟《えんさ》の叫びが溢れ始めたではないか。

「おどりゃ、ばかたれ」

「呪うど、この糞」

「何してくれよるんじゃ、このばかたれ」

突然の怪奇現象にカインは慌てふためいたが、すると大地の叫びを聞きつけたヤハウェが駆けつけて来て、カインの頰に速やかに怒りの鉄拳を叩き込んだ。

「大地を敵に回して農業《シノギ》やれる思うとるんか！　追放じゃ！」

「ヒエッ！」

とんでもないことになってしまった。大地は殺《や》る気満々だ。この分ではきっとウチの一族郎党もみんな殺る気で襲ってくる。死ぬ。絶対死ぬ。

「あ？　おどりゃ。まだ我が身が可愛いんか」

カインがビビリ上がって泣き付くと、ヤハウェは「仕方ないヤツじゃのォ〜」と言いながら焼き印を熱し、それを躊躇《ためら》いなくカインの額へと押し付けた！

「ギエーッ」

こうしてカインには「七倍返し」の印が打たれ、カインを殺害するものは誰でも七倍の復讐を受けることになったのである。

カインとアベルはアダムとエバの息子。人類初の殺人事件である。なぜ神はカインの捧げ物を受け取らなかったのか。理由は聖書中に明らかではなく、読んでいてポカーンとするところだ。この謎のえこひいきの結果、カインは怒り狂い、アベルは殺されてしまった。アベルは間接的に神に殺されたようなもので、迷惑な話だ。

このえこひいきの謎は様々に説明されているが、物語の背後に農耕民族と遊牧民族の対立を見るのが一般的か。あくまで物語から解釈するなら、カインは収穫物を適当に持ってきただけだが、アベルは羊の中でも上等のものを選んで持ってきたからアベルの方がえらい、という説もある。

なお、演出上「焼き印」としたが、カインの受けた印がどういうものかは明確ではない。追放刑を受け、農業の道を絶たれ、一族郎党の殺意を受けることになったカインだが、お先真っ暗かと思いきや、その後は妻とセックスして子供をもうけ、なかなか繁栄した。

図7　ジョヴァンニ・ドメニコ・フェレッティ、≪カインとアベル≫、1740年、個人蔵／ハーレクインのシリーズでも知られるロココ画家のドメニコ・フェレッティ、通称イモラによる殺人場面。パックリと割れた後頭部が痛々しい。

図8　ウィリアム・アドルフ・ブグロー、≪最初の哀悼（アベルの死に対する嘆き）≫、1888年、ブエノスアイレス、国立美術館／イエスの死を嘆くマリアによる「ピエタ」の伝統的構図を用いた作品。カインによるアベルの殺害場面を描いた作品は多いが、亡くなったアベルを悼むアダムとエバを扱ったものは珍しい。

STORY
04
創世記
Genesis

ノアの箱舟

マジ勘弁、神の気まぐれリセット

「はわわ、大変なことになったわい」

家に帰ったノアは家族に青い顔を見せた。彼は先程までヤハウェ親分に呼び出されていたのだが、その親分が陰鬱な面持ちで彼にこう言ったのだ。

「わしゃアのォ〜〜。心底、後悔しとる」

「はあ」

珍しくしおらしい親分の姿にノアは嫌な予感しか覚えなかった。きっとロクでもないことになる。

「ほんまにの。おどれらは……糞じゃ。糞の中の糞じゃ。人も鳥も獣も糞じゃ。わしゃ何を血迷うてこぎゃあなくだらんもん作ってしもうたんか。マジ後悔」

「はあ、わしらが至らんばかりに。心中お察し致します」

「いやいやいや！　おどれのせいじゃない。全部わしのせいじゃ。わしのミスじゃけえ。のう、笑ってくれえや。わしが悪いんじゃ、のう？」

「……」

「じゃけえ、わしはおどれらを皆殺しにしよう思うとるんよ。な？　分かってくれるじゃろ？」

ほらきた。予想以上にロクでもない。親分は大洪水により生命を殲滅《せんめつ》するつもりなのだ！

ところが、親分はさらにこう命じた。巨大船を作り、そこにノア一家とあらゆる生き物の雄雌一セットで乗り込むように、と。

「わしらだけでも助かるんは不幸中の幸いじゃ」

ノアは強いてポジティヴに考えるよう努め、箱舟の製造に取り組んだ。そして、現に訪れた大洪水を獣たちと共に乗り切ったのである。

丸一年続いた洪水の後、ノアたちは地上に降り立った。まず何よりもノアには為すべきことがあった。そう、親分のご機嫌取りである。次に鬱になられたら今度こそ殺されてしまう。彼は早速バーベキュー大会を開いた。バーベキューの香りが親分を上機嫌にすることを知っていたからである。やくざ稼業はこれだから辛い。

「わしゃ今回は本当にすまんことをした」

効果はてきめんだ。親分はしおらしくそんなことを言った。

「おどれらはの、ほんまに糞じゃ。どぎゃんしても糞は糞じゃ。糞を半殺しにしても所詮は糞じゃ。じゃけえ、こぎゃあなこと、わしは二度とせんよう」

何を言ってるんだコイツは、とノアは思った。

架神恭介の
〈仁義なき解説〉

最後の一文は演出であるがノアはきっとそう思っただろう。

ユダヤ・キリストの神は全知全能という触れ込みであるが、聖書に描かれる実像はイメージとは大分異なる。自分が作ったものを「くだらないものを作ってしまった」と思って後悔したり、大洪水でリセットしてみたけど、人間の性根が腐ってるのは変わらないので、「もうリセットやめよう……」と思ったりする。結構、人間臭い。

ちなみにノアの洪水では、ノアは人々から馬鹿にされながらも神を信じて箱舟を作り続けた……という逸話がよく語られるが、創世記にそういった記述はない。
バーベキュー大会と書いたものは「全焼の供犠」と呼ばれる儀式で、犠牲の獣を焼き尽くすと、神がその香ばしい匂いを嗅いで機嫌を良くする（宥めの香り）というもの。どうでもいいけど、生き物は各一セットしか残っていないのだから、この時、犠牲にされた獣は絶滅したんじゃないか……？
なお、ホロコーストの元々の意味はこの「全焼の供犠」である。

図9　ヤコポ・バッサーノ、《ノアの箱舟に乗り込む動物たち》、1570年頃、マドリッド、プラド美術館／箱舟の場面には、画家がその当時知ることのできた動物たちが描かれている点が面白い。主だった宮廷にはすでにプリミティヴな動物園があり、画家にとって貴重な情報ソースとなっていた。

図10　サイモン・ド・マイル、《アララト山頂の箱舟》、1570年、個人蔵／動物一体一体のポーズにもヴァリエーションがあり、躍動感に富む。1570年作とされるが、16世紀風に描かれた後世の作品のようにも思える。

STORY 05 創世記 Genesis

バベルの塔

多言語発生！ 意思疎通崩壊的大混乱!!

大洪水を唯一生き残ったノア一家であったが、彼らはその後、子孫繁栄し、人口も相応に増えた。彼らは南メソポタミアの平地に住み着いて、レンガやアスファルトなどの建築技術を得た。そこで彼らはこう考えたのだ。

「なあ、わしらのご先祖様は親分にお目こぼししてもろうたわけじゃけど、次にまた大洪水あったら、わしら今度こそ皆殺しじゃないの」

「ほうじゃのう。恐ろしいことじゃ」

「手ェこまねいとられんわい。なんかしら対策せんといかん」

「洪水対策にデカイ塔を建てるんはどうかの」

「ええんじゃない！　わしらもやれるいうところ見せたろうじゃないの」

「天に届くくらいドデカイの作って度肝抜いちゃろうじゃない」

こうして彼らは巨塔の建設に入った。だが、組員の行いと、建設中の都市と塔とを見たヤハウェ親分は、また嘆息したのであった。

「は〜〜、ほんまに度し難い糞どもじゃのう。甘い顔すると秒速で付け上がる。おどりゃ、今度はどぎゃんしちゃろうかい」

ヤハウェはまず雷を落として物理的に塔を破壊することを考えた。だが、そうはしなかった。より効率的な妨害手段を思いついたからである。ヤハウェがそれを実行すると、人々の間ですぐに混乱が広がった。

「おう、そっちのレンガ取ってくれんかの？」

「はあ？　わぁが何どご言てるのか分がらね」

「きさんえらいはっきり話しゃなかっち伝わらんけんぞ」

「あんだこぎゃんんや塔ば建とうなんてしきらんし、もうどげんしたらよかとがとからんけん」

「全てヌくとぅばがノイズんかい聞こえるヌやワンやっさーけやんやーか」

工事現場は大混乱に陥った。なにせ、互いが何を言っているのか全く分からなくなってしまったのだ。ヤハウェは元々一つであった彼らの言語を分裂させて、コミュニケーションを断絶させたのである。結果、人々は建設を諦め、あちこちへと散ることになった。ゆえにこの地をバベル（バラル：混乱させる）と呼ぶのである。

架神恭介の〈仁義なき解説〉

様々な言語があることを説明するための逸話。一般的には、人類が神に挑戦しようとして高い塔を建てたが崩された、というイメージがあるが、塔の建設動機は実はよく分からない。右記の「洪水対策」は『ユダヤ古代誌』（フラウィウス・ヨセフス著）の解釈に依った。

聖書によると〈全地の面に散ることがないように、われら自ら都市と頂きが天に届く塔とを建て、われら自ら名を為そう〉が動機であるが、なんだかよく分からない。「名を為そう」と言っているので、反抗的なニュアンスはあったかと思われる。

バベルの塔のモデルはおそらくバビロンにあったジックラト。都市神を祀るための高塔である。なお、タロットカードのイメージで、バベルの塔と言えば雷が直撃して砕けたように思うかもしれないが、聖書にはそういった記述はない。建設途中で放棄されたような書き方がされている。

図11　アタナシウス・キルヒャー、『バベルの塔』より、1679年頃、ロンドン、大英図書館／イエズス会士にして博物学者のキルヒャーが、最晩年に出版した本の扉絵。ヒエログリフの解読に挑むなど、彼が積み上げた古代地中海世界の豊富な知識が活かされている。

図12　ギュスターヴ・ドレ、『聖書物語』より、1866年、パリ、国立図書館／241点もの木版画で構成された、ドレによる聖書諸場面の版画集の一点で、1843年にフランスで新訳版が出版されたウルガータ聖書のためのもの。

図13　ピーテル・ブリューゲル（父）、《バベルの塔》、1563年、ウィーン、美術史美術館／かつてジグラット風に方形で描かれていたバベルの塔のイメージは、コロッセオをモデルとしたこの高名な絵画によって決定づけられた。左下手前にニムロド王の姿がある。

ソドムとゴモラ

悪逆無法都市、最後の日

二人の旅のやくざがソドムの町へとやって来た時、町の中から一人の男がスッ飛んできて、彼らを強く説き伏せて自分の家の中へと匿《かくま》った。ロトと名乗ったその男は顔を青ざめさせ、泡を吹きながら二人に言った。

「お兄さんら、ここがどこかも知らんで来てしもうたんか!? ここはのう！　泣く子も黙る悪逆無法都市ソドムなんじゃ！　今に恐ろしいことが起こる！」

ロトの恐怖の予言は現実となった。夜になると町中の男たちが老いも若いもこぞってロトの家へと集まり、口から涎《よだれ》を垂らして叫び始めたのである。

「おう、ロト！　おどれの家におる旅人を差し出せえ！」

「わしゃ、旅人のケツを激しく突きたいんじゃ！」

なんたる悪逆無法な言い分か！

「堪忍してつかぁさい！　わしの娘二人は処女じゃけん！　代わりに娘の穴を好きなようにしてつかぁさい！」

「おどりゃ！　そぎゃあな腐れ穴いるかい！　男のケツをよこせ、ケツを！」

「おどれのケツでもこちとら一向に構わんのじゃぞ！」

濁った眼《まなこ》の男たちがロトへと一斉に手を伸ばす！　だが、間一髪のところでロトは家の中へと引きずり込まれた。旅人二人が彼を助けたのだった。彼らは代わりに外へと飛び出すと、両腕の二指を交互に激しく突き出し、町民に次々と目潰しを喰らわした。

「ウォーッ!?」

町民たちが怯んだ隙を突き、旅人たちはロトに向かって叫んだ。

「わしら実はヤハウェ親分の使いなんじゃ! 悪逆無法都市ソドムとゴモラに制裁を加える前に下見に来たんじゃが、何たる予想以上の悪逆無法ぶり! 情状酌量の余地一切なし! 今に親分が制裁に来るけん、おどれら、逃げるど! 後ろを振り向かず、走れ!」

天使たちはロトと妻と二人の娘達を連れてソドムから逃げ出した。彼らの背後で硫黄の火が降り注ぎ、ソドムとゴモラが燃え上がった。ロトの妻は驚いて後ろを振り向いたために塩の柱と成り果てた。

今でも死海のほとりにはロトの妻の塩柱がぽつねんと立ち尽くしている。

架神恭介の〈仁義なき解説〉

ソドムとゴモラは退廃した都市として知られているが、具体的にどう退廃していたかというと、創世記に明確に描かれているのは右記の如く男色である。この周辺地域には旅人にホモセックスを強いて服従させる習慣があったらしく、その反映と考えられている。なお、男性間同性愛における肛門性交を指す言葉「ソドミー」はこのソドムから来た言葉である(正確に言うと、ソドミーは獣姦なども含む、もう少し広い概念であるが)。

これには後日談があり、ロトと一緒に山の中へと逃げ出した二人の娘たちは、誰とも結婚できないことを苦にして、ロトを泥酔させてセックスし、子を産んだ。朱に交われば……ということなのか、彼女たちの思考も大分ソドムナイズされている。

図14　ピーテル・シューブロウク、《ソドムとゴモラ》、16世紀末、個人蔵／ドイツの風景画家シューブロウクによるソドムとゴモラの破滅シーン。広大な風景描写を得意とした画家ならではの構図。

図15　オラツィオ・ジェンティレスキ、《ロトとその娘たち》、1622年頃、ロサンゼルス、ゲッティ・センター／ソドムの市から逃げ出した一家の近親相姦の物語は、通常は背徳場面ならではの淫靡さが色濃いが、ここでは娘たちは父親よりも燃え上がるソドムの光景に目を奪われているようだ。

図16　ヤン・マセイス、《ロトとその娘たち》、1565年、ブリュッセル、王立美術館／ヤンは北方ルネサンスの大画家クエンティン・マセイスの子。人間の弱さや悪さを巧みに描き出す才は、風俗画を得意とした父譲りか。

STORY
07
創世記
Genesis

イサクの犠牲

忠義の人アブラハムにふりかかる、ためしてガッテン by 神

「お、親父ィ、気でも狂うたんかァ！」

「イヒィーッ!?」

手にした刃物をべろりと舐《な》めてアブラハムが迫り来る。全身を縛られたイサクは祭壇の薪の上で震えるばかりだ。思えば……父の様子は朝から何かおかしかった——。

「親父ィ。羊がおらんのじゃけど、どないするんじゃ」

イサクが父アブラハムとモリヤの地の山上を目指していた時のことである。

父はかつてヤハウェなる俠客と親子盃を交わしたという。それで今は親分にバーベキューを上納すべく指定された会場へと向かっていたのだが、何故か肝心の羊を連れていないのだ。イサクが再度問い質しても、アブラハムは不気味な笑みを漏らすばかり。父の視線は宙を泳ぎ、口許からは涎が垂れていた。何かがおかしかった。

いよいよ会場へ辿り着くとアブラハムは声を震わせて言った。

「お、お、親分じゃあ！　親分がわしに命じたんじゃ！」

「はあ？」

「倅《せがれ》！　今日の羊は親分がご指定じゃ！」

アブラハムは突然襲いかかり握った石でイサクの頭を打った。彼の意識はそこで途絶えた……。

「お、親父ィ、気でも狂うたんかァ！」

気付いた時、イサクは薪の上で全身を縛られていた。父が刃物を舐めながらジリジリと迫る。

「わしゃ息子じゃぞ！　我が子を殺す気か!!」

「ヤハウェ親分がのう！　おどれの丸焼きをご所望なんじゃ！」

「いやだァー、殺されるゥ!!」

父の目は明らかにイッていた。親分に無理難題を突きつけられたせいだ。アブラハムの持つナイフが煌《きらめ》き、甲高い雄叫びと共に振り下ろされる！　だが、

「待つんじゃ！」

その手をガッシと掴んだ者がいた。

「わしゃヤハウェのおやっさんの使いのものじゃ！　おどれが本気じゃいうことはよう分かったけん！　な？　分かったけん。おやっさんもおどれを試しただけじゃ！」

「キエーッ！　キエエーッ！」

興奮しきったアブラハムを若者が必死に抑えこむ。イサクは身を捩《よじ》って泣きながら祭壇から転げ落ちた。

「うわあああ、もう嫌じゃああ！」

架神恭介の
〈仁義なき解説〉

アブラハムはノアの子孫。一人息子を犠牲に捧げることを神から要請され、それに従った有名なエピソードである。これにより「信仰の父」とされたアブラハムだが、「神に命じられたので息子を焼き殺そうとした」というのは傍《はた》から見れば明らかにヤバイ人だ。なお、よく言われる「アブラハムは葛藤に苦しんだ」とか「イサクは従順に運命を受け入れた」などは聖書中に記述

はなく、書き手各々の想像である。ゆえに筆者も想像を逞しくしてみた。

アブラハムは神と契約し、子孫繁栄を約束された。だが、その後の話の中で、彼の子孫たちは神の怒りにより折に触れてブチ殺される。損得で言えば損失の方が大きい気がする。かといって契約を結ばなかった周辺民族が幸せかというと、彼らもまた神により理不尽にブチ殺されるため、結局、関わり合いにならないのが一番である。

なお、アブラハムには妾との間にも子がいたが、正妻であるサラが追い出してしまった。この時追い出されたイシュマエルがアラブ人の祖である。

図17　ロレンツォ・ギベルティ、《イサクの犠牲》、1401年、フィレンツェ、バルジェッロ美術館／洗礼堂ブロンズ扉のコンクールで、ブルネッレスキと最後まで優勝をあらそった作品。扉の制作者となるギベルティは数十年を費やすことになり、一方のブルネッレスキは大建築家としてルネサンスの主要人物となった。

図18　ヤコブ・ヨルダーンス、≪イサクの犠牲≫、1630年、ミラノ、ブレラ美術館／ルーベンス工房にやや遅れて北方で一時代を築いたヨルダーンスによる作。上方からのスポットライトによる強い明暗の対比に、カラヴァッジョ様式が猛烈な勢いでヨーロッパを席巻したことがわかる。

図19　レンブラント・ファン・レイン、<イサクに手をかけるアブラハムをとめる天使>、1635年、サンクトペテルブルク、エルミタージュ美術館／大胆な構図と劇的な瞬間を切り取るドラマ性はレンブラントの得意とするところ。本作でも天使にとめられたアブラハムの手から、ナイフがまさに落下中だ。

STORY 08 創世記 Genesis

ヤコブとエサウ

そんなのアリ⁉ 兄を出し抜くズルい弟

イサクとリベカの間に双子が生まれた。毛深い兄はエサウ、弟はヤコブと言った。ヤハウェ親分から目をかけられていたのは弟の方であった。そしてヤコブは恐るべき野心の持ち主でもあった。

兄弟は成長し、エサウは狩りをするようになった。エサウが狩りで疲労困憊して戻ってきた時のことだ。

「すまんがの。おどれの今作っとる煮物をくれんかの」

とエサウが懇願すると、ヤコブは目をぎらつかせて言った。

「ええど……おどれの長子権と引き換えなら、の？」

「おおう。わ、わしゃ、腹が減って死にそうなんじゃ……」

エサウが煮物を受け取るとヤコブは汚い笑みを浮かべた。彼は知っていたのだ。繁栄にはヤハウェ親分の祝福が必要であることを。このままでは祝福は長兄エサウのものとなる。何としても略奪せねば……。

さらに月日は過ぎ、二人の父イサクに寿命が訪れんとしていた。視界の霞んだ父は兄のエサウを呼んで言った。

「わしゃもうどうにもいけん。頼む。狩りに出て、とびきり旨い飯を作ってくれぇ。そしたら死ぬ前にわしが祝福するけん」

父は当然長子たるエサウに祝福を与えるつもりでいた。面白くないのはヤコブと母のリベカだ。兄が狩りに出かけて行くと、母と弟は共謀して一計を案じた。家畜を捌いた子山羊料理を手にヤコブが父の前へと立った。

「えらい早かったじゃないの」

不思議そうに父が尋ねる。それに声もヤコブのものとしか思えない。父は手を伸ばした。眼はロクに見えないが毛深いエサウなら触れば分かるはずだ。ところが——、

「ん……エサウに間違いなし、か……」

イサクは納得してしまった。ヤコブは子山羊の毛皮を着て父をペテンにかけたのだ。母の入れ知恵であった。

エサウが帰ってきて事のあらましを知り、「何しよるんじゃあの餓鬼、ブチ殺すど！」と熱《いき》り立った時には、祝福を横取りしたヤコブは既に高飛びしていた。

架神恭介の
〈仁義なき解説〉

父イサクは前章にて父アブラハムに殺されかかったあの子である。父には殺されかかり、子には騙される。ロクな人生ではない。

なぜヤコブは祝福を横取りしたかったのか？　神ヤハウェの祝福を受けた方の子孫が栄えるからだ。実際、ヤコブの子孫であるイスラエル人が、エサウの子孫であるエドム人を征服したりもする。ただ、イスラエル人のその後は多難を極めるし、エドム人のヘロデ大王がユダヤ人の王となったりもするので祝福の効果もまあその程度だが。なお、長子権を既に獲得したのに祝福まで横取りしたのは何だかよく分からない。理由は諸説ある。

高飛び後のヤコブだが、なんだかんだあってエサウとは和解した。詫びを入れに行く際、ヤコブは糞びびっていたがエサウの度量は大きかった。朴訥にして鷹揚、創世記でも屈指の好人物がこのエサウなのだが、新約聖書のヘブル人への手紙では「淫らなもの、俗っぽいもの」とボロクソに言われ、何ともかわいそう。

図20　ピーテル・パウル・ルーベンス、《ヤコブとエサウの和解》、1624年、シュライスハイム（ドイツ）、州立美術館／もともとスペイン王家のコレクションにあった作品で、ヤコブとエサウの和解場面を描いたもの。左のエサウの背後には、彼が連れてきた四百人の兵士の存在が示されている。

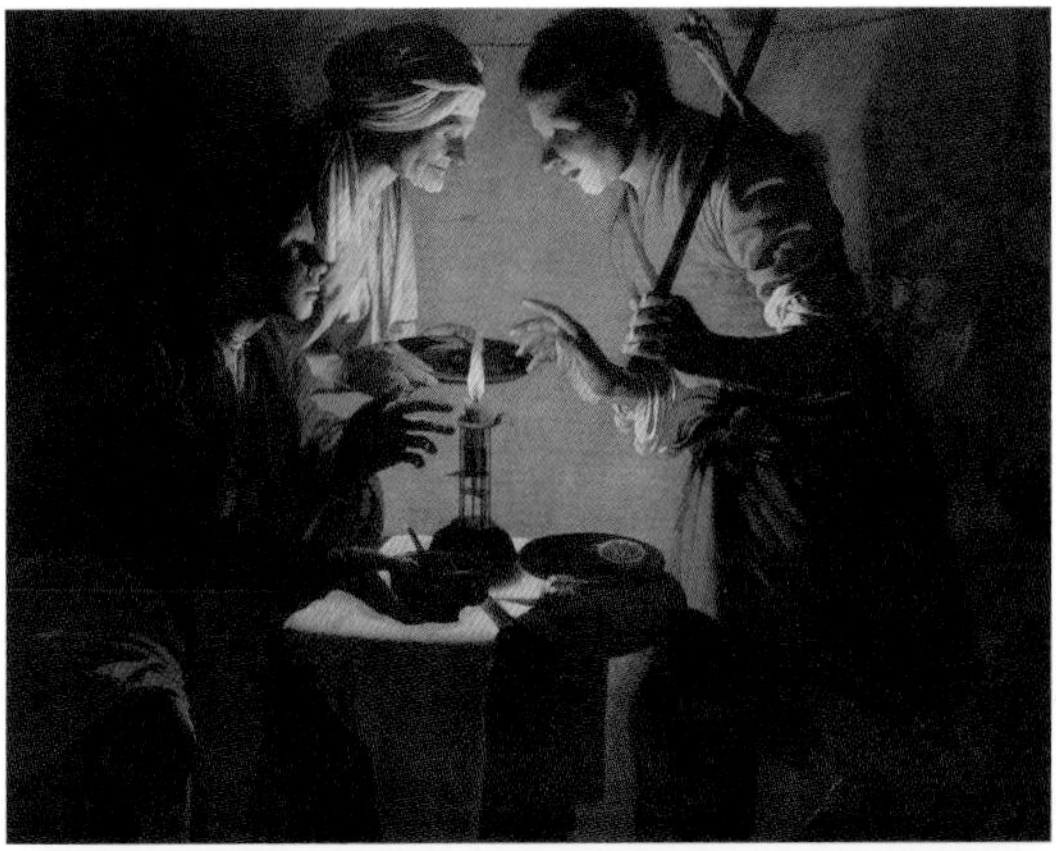

図21　ヘンドリック・テル・ブルッヘン、《長子権を売るエサウ》、1627年頃、マドリッド、ティッセン＝ボルネミッサ美術館／空腹のあまりレンズマメのスープ欲しさに長子権を弟に譲る場面。エサウの背後に、年老いて視力を失った父イサクの姿が亡霊のように薄く描かれている。

図22　ヘーリット・ウィレムス・ホルスト、《ヤコブを祝福するイサク》、1638年、ロンドン、ダルウィッチ・ピクチャー・ギャラリー／毛深いエサウのふりをするために、毛皮をまいた自らの腕を盲目の父に触らせるヤコブ。イサクの左手は祝福のポーズである。レンブラント様式の追随者による本作は、長らくレンブラント作と信じられていた。

STORY
09
創世記
Genesis

ヨセフの出世

ドッキリ作戦で兄たちに意趣返し

「おどりゃ、こン糞イモ、ようも舐めた真似しくさりよったの」

ナイフを持ったやくざ者が冷たい刃を光らせて、四男ユダの頬をぺちぺちと叩いた。彼の後ろには十人の兄弟たちが並んでいて、それぞれ直立し、頭を垂れて恐怖に震えていた。彼らの周りは倍する数の武装やくざによってぐるりと囲まれている。彼らはいま生命の危機にあった。とんでもない冤罪が掛けられているのだ。

事の始まりは飢饉である。ヤコブの息子である兄弟たちは、餓えに耐えかねてエジプト組を頼った。飢饉は全土に及んでいたが、エジプト組のみはインテリやくざのナンバーツーの手腕により食料備蓄に成功していたのだ。ところがそのナンバーツーの家で何故か饗応を受けた帰りに、「おどりゃ盗みを働くとはええ度胸じゃの」と追いかけてきた三下に怒鳴られ、しかも、末弟ベニヤミンの荷袋から本当に盗品の盃が現れたのである。

そうして彼ら十一人は宰相の前へと引っ立てられた。正面では豪奢《ごうしゃ》な椅子に腰掛けた宰相がポリポリとピスタチオを齧っている。彼らが土産に渡した地元の特産品であった。宰相は仮面を被っており、その表情を窺い知ることは出来ない。

「バチじゃ……バチが当たったんじゃ……」

「ヨセフを売っ払ったバチじゃあ……」

兄弟たちが小便を漏らしながら泣き叫んだ。彼らにはかつて生意気な弟ヨセフを奴隷商人に売り渡した、後ろめたい過去があったのだ。

「うおおおん、ヨセフすまんかったー！」

だがその時、宰相の仮面の下から一条の滴が垂れた。そのことに兄弟たちがハッと気付くと、

「ピスタチオの味が……懐かしゅうてな……」

そう言って宰相は仮面を取った。おお！　その下から現れた彼の顔は！

「兄ィ、わしじゃ！　ヨセフじゃ！　元気しとったか!?」

「えーっ!?」

途端に兵士たちも武器を投げ捨てて、兄弟たちの再会に惜しみなき拍手を送る。呆然とする兄弟たちにヨセフは口づけをして回った。全てはヨセフのドッキリ大作戦だったのだ！

架神恭介の〈仁義なき解説〉

ヤコブには十二人の息子がいた。ヨセフはその一人である。父のお気に入りであった彼は、そのことを笠に着て兄弟にナメた口を利いていたところ、兄たちから殺されかかった上に奴隷としてエジプトに売られてしまった。

そんなヨセフだが、彼は夢の解読能力をファラオに評価されてエジプトの宰相に抜擢され、国内の飢饉対策に従事した。その時に食料を求めてやってきたのが十一人の兄弟たちだ。小説にある通り、兄弟を冤罪で責め立てたりして、ビビらせるだけビビらせてから最後に種明かしをした。多少意地は悪いが、ハッピーエンドで終わったし、まあ可愛い部類の話と言える。

こうして一家は歓迎されてエジプトに住むことになったのだが、いつの間にか子孫は奴隷化されてしまい、次の出エジプト記へと繋がる。

図23　ジャン=バティスト・ナティエ、《ヨセフとポティファルの妻》、1711年、サンクトペテルブルク、エルミタージュ美術館／人妻からベッドへ引きずりこまれようとするのを、顔を背けて必死に抵抗するヨセフ。これにより嫌疑をかけられ投獄されるヨセフの運命をなぞるように、画家ナティエもスキャンダルによりバスティーユに投獄された。

図24　レオン・ピエール・ウルバン・ブルジョワ、《ヨセフに気付く兄たち》、1863年、ヌヴェール（フランス）、市立フレデリック・ブランダン美術館／リトグラフや絵画の分野で活動したブルジョワによる作品。オリエンタリスム（東洋趣味）の流行により、中東地域の衣服などの情報が多く入っていたことがうかがえる。

図25　ジャン=アドリアン・ギネ、《ファラオの夢を読むヨセフ》、19世紀前半、ルーアン美術館／特殊能力である夢解釈で、ファラオが見た夢を読み解くヨセフ。三十代で早逝した画家ギネは、ナポレオン派遣軍によるエジプト調査の成果を盛り込んだエジプト風景で人気を博した。

STORY
10
出エジプト記
Exodus

モーセの召命

中間管理職はつらいよ

「わ、ワシにゃあ無理じゃあ！　堪忍してつかぁさい！」

ホレブ山の山中、茨の灌木《かんぼく》に向かって泣きそうな声で訴える男の姿があった。彼の名はモーセ。かつてはエジプト組組長の娘により育てられていたが、ひょんなことから殺人事件を起こして逃亡を余儀なくされた脛《すね》に傷のあるやくざ者であった。その彼がホレブ山での怪奇現象に目を惹かれて登ったのが運の尽き。好奇心は猫もやくざも殺す。いま彼は謎の神秘的極道から、奴隷やくざ脱走計画の責任者の任を押し付けられていたのだ。

「ほんまに無理ですけん！　堪忍してつかぁさい！」

モーセは心底嫌だった。エジプトからイスラエルやくざを脱走させるなど、ファラオ（エジプト組組長の尊称）の激怒は免れ難く、それ以前に同胞たちがこんな無謀な計画にホイホイ乗ってくれるはずがない。

だが、泣き喚くモーセに対し、神秘的やくざは諭すように言った。

「そぎゃん心配せんでもええ。わしの名前を出しゃ一発じゃけえの。……ええか、同胞のやくざ共にわしの名をこう伝えるんじゃ。『わしはありてあるもの』！」

「??　?????」

「……ヤ、ヤハウェじゃ。ヤハウェじゃ言うて伝えとけ……」

「アッ、ハイ」

「ファラオもな、心配いらん、わしがええようにしちゃるけん。おどれら、エジプト組から銀やら金やらしこたま奪って逃げて来るんじゃ」

で、ですけんど！　と、モーセはなおも食い下がった。

「わしゃ口下手ですけん！　こぎゃあな難しいこと、ファラオにも同胞にも上手いこと言えんですわ」

「そこはわしがフォローしちゃるけん、な？」

「ああもう！　とにかく！　別のやつに命じてつかぁさい！　わしゃ、とにかくやりとうないんじゃ！」

「おどりゃ、まだ言うんか、このモタレが！　ぶち殺すど！」

「ヒィエエエ！」

「口下手!?　それならおどれの兄のアロンに言わせぇ！　それでえかろうがい！」

どうやってもヤハウェからは逃げられない。それどころか実兄まで巻き込んでしまったモーセの苦悩は続く。

架神恭介の
〈仁義なき解説〉

出エジプト記は、ヤハウェから命じられたモーセが、エジプトで奴隷状態にあったイスラエル人を解放し、みんなで一緒に逃げ出す話である。

モーセと言えば例の海を割ったシーンが印象強く、また苦しむイスラエル人たちを導いた英雄のようなイメージであるが、実際に出エジプト記を読めば「悲惨な中間管理職」といった印象を抱くであろう。小説に書いた通り、そもそもヤハウェから脱走計画の責任者に任じられた時点で本人は凄く嫌がっている。また、苦労して脱出させたイスラエル人の一行も事あるごとに文句を言ってモーセを突き上げるし、ヤハウェはヤハウェでブチ切れて一行をブチ殺す。上を必死に宥めて、下からの突き上げに耐える憐れな男の姿がそこにある。

図26　グイド・レーニ、《十戒の石板をもつモーセ》、1624年頃、ローマ、ボルゲーゼ美術館／カラッチ後のローマ画壇の中心人物となったグイド・レーニによる作品。明暗の強い対比を持ち込んだモーセ像には、同じボローニャ出身のカラッチよりもカラヴァッジョの影響がより強く出ている。

図27　ミケランジェロ・ブオナローティ、《モーセ》、1515年、ローマ、サン・ピエトロ・イン・ヴィンコリ教会／最初は巨大なモニュメントとして構想されたユリウス二世廟の中心モチーフ。額から角が二本出ているが、これは「光」の誤解釈の結果ともいわれる。

図28　セバスチャン・ブールドン、《モーセの発見》、1655年頃、ワシントン、ナショナル・ギャラリー／同種の主題を描いた作品は多い。これは、川に流された幼児モーセを入れていた籠が、イエスの飼葉桶やノアの箱舟のメタファーであり、つまりはキリスト信徒は救済されることを意味するからである。

STORY
11
B.C.13世紀
出エジプト記
Exodus

出エジプト

紅海パッカーン！　されどモーセの苦闘は続く

「や、や、やってやったけん！　親分！」

一軍の先頭に立ったモーセが、さらに先を進むヤハウェに向かって叫んだ。いまモーセの背後には百万を超えるイスラエルやくざが続いている。

ヤハウェから無理矢理に奴隷脱走計画の首謀者に任じられたモーセだが、首尾はと言えば、ヤハウェの豪腕が炸裂しエジプト組はギタギタのボコボコに。遂にはファラオに「頼むから出て行ってくれ！」と言わせたのである。

モーセは額の汗を拭《ぬぐ》った。本当に恐ろしいミッションであった。ファラオの怒りを買っただけでなく、同族のイスラエルやくざたちからも「要らんことすンなボケが」と脅されたのだ。ファラオの怒りがイスラエル奴隷たちに更なる重労働を招いたので当然であったが……。だが、これで終わったわけではない。

「まだじゃ！　とどめ刺したらァ！」

ヤハウェは汚い笑みを浮かべると、エジプト組へ向けて毒電波を飛ばした。するとファラオは突然、イスラエル人奴隷たちを逃したことを後悔し始め、軍勢を率いて彼らを追ったのである。これを見て驚き慌てたのはイスラエルやくざたちだ。彼らは恐怖に駆られてモーセに飛びかかると、彼の顔面に鉄拳を叩き込んだ！

「痛ぃッ」

「おどりゃこン糞！　ああっ、今度こそ死ぬ！　わしゃ大人しゅう奴隷として暮らしたかったのに！」

「ま、待て！　軍勢はヤハウェ親分が蹴散らしてくれるけん！」

慌ててそう答えたが、今度はヤハウェが飛びかかりモーセの顔面に鉄拳を叩き込んだ！

「痛ぁッ」

「おどりゃナメ腐りおって、わしに命令する気か！　ぶち殺すど！　まあ、蹴散らしはするんじゃがの！」

ヤハウェは激しく鼻息を吹き鳴らした。すると目の前の海が割れたではないか。イスラエルやくざたちは急ぎそこを通って向こう岸へと渡った。当然エジプト組のやくざたちも後を追ったが、

「ぎゃはは、ここじゃあ！　まとめて死ねーいッ！」

ヤハウェが叫ぶと割れていた海が戻り、エジプトやくざたちは海の底へと一人残らず飲み込まれていった。

架神恭介の
〈仁義なき解説〉

奴隷集団脱走にやっと成功したモーセだったが、その後も散々である。脱走させたイスラエル人は「水がねーぞ」「食いもんがねーぞ」「奴隷してた方がマシだ」と不平タラタラで、時にはモーセを殺そうとさえする。ヤハウェもしばらくは彼らの不平不満に付き合って食料（マーン）などを供給していたが、子牛像事件を境に堪忍袋の緒がブチ切れたらしく、以降は民の不平には鉄拳制裁で臨むことになる。一回の鉄拳制裁につき多い時で一万〜二万人死ぬ。

子牛像事件とは、モーセが律法（ルール）と十戒の書かれた石板を受け取りに山に登って不在の間に、残されたイスラエル人が禁じられていた金の子牛像を作った件である。これはモーセが激怒した神を必死に宥めて、代わりに民を制裁したため、たった三千人の死者で事なきを得た。不幸中の幸いである。なお、最初に貰った石板はモーセが怒りの余りに叩き割ったので、後にもう一度十戒を貰いに行った。旧版と新版で十戒の内容は結構違う。

図29　コジモ・ロッセッリ、《紅海横断》、1481-82年、ヴァチカン、システィーナ礼拝堂／教皇シクストゥス四世の命により、ボッティチェッリらと並んで礼拝堂壁面を描くよう依頼された一場面。紅海の名のとおり、ヨーロッパでは古くから赤色の海と信じられ、絵画や地図でも赤く塗られることが多い。

図30　ヤコポ・ティントレット、《マナの奇跡》、1577年頃、ヴェネツィア、スクオーラ・グランデ・ディ・サン・ロッコ／ヴェネツィア派マニエリスムの旗手ティントレットらしく、大胆な斜め構図に、極端な引き伸ばし人体誇張や明暗対比が盛り込まれている。主題は率いる民のためにモーセが食物を天から降らせる場面。

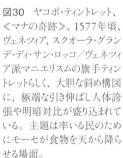

図31　アンドレア・プレヴィターリ、《紅海に沈むファラオの軍》、1515-20年、ヴェネツィア、アカデミア美術館／ジョヴァンニ・ベッリーニのもとで修業したプレヴィターリによる作品だが、幻想的な画面構成は、むしろ工房の同僚だったジョルジョーネの影響をより感じさせる。

STORY
12
B.C.1220年頃
ヨシュア記
The book of Yoshua

エリコ攻略戦

イスラエル軍最強伝説

エジプトから脱出したイスラエルやくざたちだが、彼らには安住の地が必要であった。つまり、次は侵略戦争だ。

「や、やるしか……わしらには、やるしかないんじゃ……」

標的である城塞都市エリコを前に、モーセから全軍指揮官の座を受け継いだヨシュアが声を震わせて言った。

敵は強大だ。だが、やるしかない。彼らに退くことは許されない。先んじて偵察に行った者たちは敵の強大さに怖気付いて帰ってきたが、ヤハウェは彼らを殺戮制裁した。ヨシュアは偵察隊の中の数少ない生き残りであった。ヤハウェは恐るべき暴虐のやくざだ。だが、その暴力が敵に揮《ふる》われるなら……最強の極道でもある！　ヨシュアはヤハウェの暴力を信じてエリコへと軍を進めた。

一方、恐怖を覚えていたのは城塞に籠もるエリコ市民も同じであった。続々と押し寄せてくるやくざの群れを高台から見下ろしながら彼らは身を震わせた。

「き、来よったど……イスラエル組の腐り外道どもじゃ」

「超能力を用いてエジプト組を殲滅したという……」

「徹底した皆殺し戦術で、女も子供も容赦なく殺すらしい」

「あ、悪魔じゃ……悪魔の軍勢じゃ……」

その悪魔の軍勢がヨルダン川に足を踏み入れるや否や、川の流れが唐突に止まった。奴らは悠々と川を横断してくる。エリコ市民は顔を青くした。こんなの無茶苦茶だ。防衛戦略も糞もあったもんじゃない。

ヨシュア軍は城塞に取り付くと、今度は城壁の周りで黙々と行進を始めた。不気味だ！

「なんじゃ、なんの呪《まじな》いじゃ!?」

「何企んどるんじゃ！」

果たせるかな。ヨシュア軍が突然大声で叫び出すと城壁がガラガラと音を立てて崩れた。「はあ!?」エリコ市民が我が目を疑う間にも、恐るべき侵略者どもは剣を振り上げ、大挙して街に雪崩れ込んでくる。

「ひいいッ……こ、こんなのってないわい……！」

血に濡れた刃が無慈悲に振り下ろされ、逃げ惑う市民たちの意識はそこで途絶えた。

架神恭介の〈仁義なき解説〉

「乳と蜜の流れる地へと導く」とヤハウェは言うが、これは要するに「乳牛と果実に恵まれた肥沃なカナンの地を侵略するぞ」という意味。というわけで侵略戦争である。

侵略される側からすれば恐るべき相手であろう。相手は超能力で海を割ったりするし、降伏を許さぬ徹底した皆殺し戦術（「聖絶」）をモットーとしている。少年漫画に出てくる悪の組織みたいだ。今回も神の力で川は割るわ城壁は崩すわ、通常の防衛戦術が全く通用しない。酷い話である。そして、彼らの凶行はこれで終わりではなく、エリコを手始めに戦火はさらに広がっていく。

なぜカナン人たちはこんな酷い目に遭っているのか？

話は、ノアの時代に遡る。大洪水後、酔っ払って裸で寝ていたノアを三人の息子のうちのひとりハムが馬鹿にした（？）ところ、ノアはなぜかハムの息子のカナンを呪った。つまり、カナン人たちは遥か遠いご先祖さまのせいで皆殺しの憂き目に遭っているわけだ。結局、酷い話である。

図32　ロレンツォ・ギベルティ、《天国の扉》より、1425-52年、フィレンツェ、大聖堂（ドゥオーモ）附属美術館／ギベルティがフィレンツェ洗礼堂で挑んだ二枚目の扉、通称「天国の扉（門）」を構成するブロンズ製レリーフの一枚。画面上方に、笛の音によってヒビが入るエリコの城壁が描かれている。

図33　ウィリアム・フォスター、『聖書のパノラマ』より、1891年、ロンドン、大英図書館／画面奥に小さく配された笛隊と、その手前で崩れるエリコの城壁。画面下半分をUの字にぐるりと囲む崩壊場面のダイナミックなこと。

図34　ラファエッロ・サンツィオとその工房、≪エリコ攻略戦≫、1508-24年、ヴァチカン、ラファエッロのロッジャ天井画／下絵はおそらくラファエッロ本人のはずだが、緻密な描写も時代考証も不十分な壁画は、ジュリオ・ロマーノら工房の画家たちによるものだ。

STORY
13
B.C.10世紀前半
士師記
The book of Judges

サムソンとデリラ

神のマッチポンプ作戦をいろどる勇者と美女

「おお、来よったど」

「わしらの組を相手に好き勝手しよった、糞ばかたれが」

ペリシテ組やくざの邸宅に、一人のイスラエルやくざが獄から引きずり出されてきた。男は屈強な体躯《たいく》をしていたが、足枷《あしかせ》を嵌められて両目をえぐり出されていた。

「ええざまじゃの」

「この外道にゃァ組のモンがえらい殺《バラ》されたわい」

ペリシテやくざたちが笑みを漏らす中、光を失ったやくざ者――、サムソンは屈辱に唇を噛み締めていた。

かつて彼はその超人的な暴力をもってペリシテ組に多大な被害を及ぼした。三十人を殺し着物を奪った。ペリシテ組のシマを焼き払ったこともある。たとえ捕縛されても拘束を破り、ろばの顎骨で千人を殴り殺した。

その圧倒的な暴力の前にペリシテ組は泣き寝入りするしかないと思われた。だが、思わぬチャンスが訪れた。サムソンの情婦を特定したのだ。ペリシテ組はデリラなるその情婦を説得し、サムソンの弱点をそれとなく調べるよう依頼。頭の足りぬデリラは、「ねえ、あんたの怪力って何なの、それ」「あたし、あなたを縛り上げたいんだけど、どうすればいいの?」と、まるで考えなしの問い方をしたので、流石のサムソンも怪訝《けげん》に思って三度まで は嘘を吐いたが、ついには心苦しくなって秘密を打ち明けてしまったのだ。

「わしの怪力はの。髪にあるんじゃ。髪を剃られたら、わやじゃ」

早速デリラは眠っているサムソンの髪の毛を剃り落とし、ペリシテやくざを呼んだ。その結果が今のこのざまであった。だが、投獄中、彼の頭に僅かな毛髪が伸び始めていたことにペリシテやくざは気付いていなかった。

サムソンは若いやくざ者に弱々しい声音で言った。

「わしゃもうダメじゃ。疲れてどうにもならん。柱に寄りかからせてくれんかのう……」

だが、サムソンは柱に寄りかかるや否や、両腕に筋肉を漲《みなぎ》らせて、

「おどりゃ、男を見せちゃるど！　ヤハウェのおやっさん！　外道どもをブチ殺す力をわしに！」

そう叫んで柱をへし折った！　途端に建物は崩れ、ペリシテやくざを多数道連れにサムソンは死んだ。

架神恭介の〈仁義なき解説〉

サムソンは士師と呼ばれる英雄の一人。士師は政治指導者兼軍事指導者といったところか。

カナン侵略後のイスラエル人たちだが、安定してくるとヤハウェの恩顧を忘れて他の地元の神（アシュタロト＝アフロディーテなど）に仕え始めた。するとヤハウェが怒り狂うのである。周辺民族を操ってイスラエル人を攻撃させる。イスラエル人がギタギタのボコボコにされたところで、ヤハウェはイスラエル人の中から士師と呼ばれる英雄を立ち上がらせて周辺住民に逆襲する。このようなマッチアンドポンプを繰り返していた。操られては殺されるだけの周辺民族は本当にいい迷惑だ。今回はペリシテ人が被害に遭った。

サムソンは士師の中でも毛色が違う。他の士師は普通の軍事指導者が多いのだが、彼だけ神話めいている。政治指導者とか軍事指導者というよりも、ただの性欲と暴力の権化だ。彼の行状も軍事行為というよりはただの犯罪行為である。

図35　レンブラント・ファン・レイン、≪ペリシテ人に目をつぶされるサムソン≫、1636年、フランクフルト、シュテーデル美術研究所／レンブラントの作品群のなかで、ひときわ動的で残酷で、明暗対比も飛びぬけて強い作品。画面奥に、切り取った髪を手に笑いながら去ろうとするデリラの姿がある。

図37　ソロモン・ジョセフ・ソロモン、≪サムソン≫、1887年頃、リヴァプール、ウォーカー・アート・ギャラリー／凄まじい力で逃れようとするサムソンを、必死に取り押さえる男たちの張りつめた筋肉。右端のデリラの意地悪そうな顔！ 師カバネル譲りの緻密な写実力と妖艶な官能性とが、いかんなく発揮された逸品。

図36　レンブラント・ファン・レイン、《サムソンとデリラ》、1626-27年、アムステルダム、王立美術館／レンブラントはサムソンとデリラの主題を何度か手掛けている。ここでは、眠りこけるサムソンの魔力の源である長髪を、デリラがこっそり切ろうとしている。

STORY
14
B.C.1020年頃?
サムエル記
The book of Samuel

ダビデとゴリヤテ

巨漢を倒した鉄砲玉は美少年

イスラエルの組長がサウルであった時代の話である。ペリシテ組との間に喧嘩《でいり》が勃発し、両陣営は谷を隔てて対峙していたが、ペリシテ組から一人の武闘派やくざが進み出てきた。男はゴリヤテと名乗り、叫んだ。

「おどりゃ、イスラエルの腐り外道ども！　わしとサシでやれる男はおらんのか！　そこでセンズリかいとるだけなんか!?」

男は三メートルにも及ばんとする巨漢で、全身を青銅製の鎧で覆い、鉄の槍を装備していた。イスラエル組には製鉄技術すらなく両者の装備差は圧倒的だ。皆、糞びびって動けなかった。

だが、軍勢の中に一人、敵の口上に怒りを漲らせた男がいた。彼の名はダビデ（ダヴィデ）。サウルの従者である。彼はサウルに言った。

「おやっさん、なして握りキンタマしとるんじゃ！　わしが行って、あのモタレのタマァ、トってきたらあッ！」

サウルは必死に止めた。ダビデはまだ若かったからだ。だが、若者は憤然として言い返した。

「わしゃカタギの頃ァ羊飼いじゃった。知っとりますじゃろうが。羊飼い言うんは獅子でも熊でも殺せにゃあ、でけん仕事じゃ。あぎゃあな外道、所詮は熊と同じ。おやっさん、わしを男にさせてつかぁさいや！」

そうして、ついにダビデは一騎打ちに臨むこととなった。サウルは彼に鎧と長ドスを差し出したが、ダビデはそれらを全て断った。

「わしにゃ、わしの道具がありますけん！」

イスラエル陣営から出てきたダビデの姿を見て、ゴリヤテは鼻で笑った。若いチンピラであったからだ。しかもドスも槍も持っていない。

だが、ダビデは懐に手を差し入れると、敵に向かって猛烈に駆け出しながら叫んだ！

「ヤハウェ親分の名の下に！　タマ、トッたらァァッ！」

おお、彼が懐から取り出したるは——凶悪殺人兵器スリング！　投石器とも呼ばれるそれから飛び出した礫《つぶて》はゴリヤテの額に命中！　敵は即死！　ダビデがゴリヤテの首を掻き切りニタリと笑うと、ペリシテ組は恐怖に駆られて遁走《とんそう》した。

架神恭介の〈仁義なき解説〉

イスラエルは王政に移行しサウルが初代王となったが、彼はヤハウェから見捨てられてしまう。サウルが見捨てられた原因のひとつは、彼がヤハウェの皆殺し戦術に反して敵の王を生け捕りにしたから。なお、生け捕りにされた敵の王は改めて預言者により殺された。結局助からない。

ヤハウェはサウルを王にしたことを後悔して（神も普通に後悔する）、次にダビデを王にしようとする。このよく知られたゴリヤテ戦のエピソードは、ダビデがサウルに代わって王となるまでの出世ストーリーの第一幕である。

なお、聖書では剣も持たないダビデが石投げひとつで重武装の大男を倒した、だからヤハウェのパワーがすごい！　といった書き方がされているが、投石器（スリング）は立派な戦術兵器であり、命中すれば相手は普通に死ぬ。特に奇跡的な話というわけでもない。よって、小説中ではチャカに見立てた描き方をしてみた。

図38　ドナテッロ、《ダビデ》、1435年頃、フィレンツェ、バルジェッロ美術館／古代文化の再評価運動であるルネサンスで、少年美を至高とするプラトン的愛まで復活したかのように、ドナテッロは少年がもつ期間限定の儚い美しさへの称揚を隠そうとしていない。

図39　ミケランジェロ・メリージ・ダ・カラヴァッジョ、《ダビデとゴリヤテ》、1600年頃、マドリッド、プラド美術館／画面狭しと手足を縦断させる大胆な配置と上方からの光源により、主人公であるダビデの顔が影になる。切断された巨人ゴリヤテの顔は、カラヴァッジョ作品によるある画家の自画像的機能を持つ。

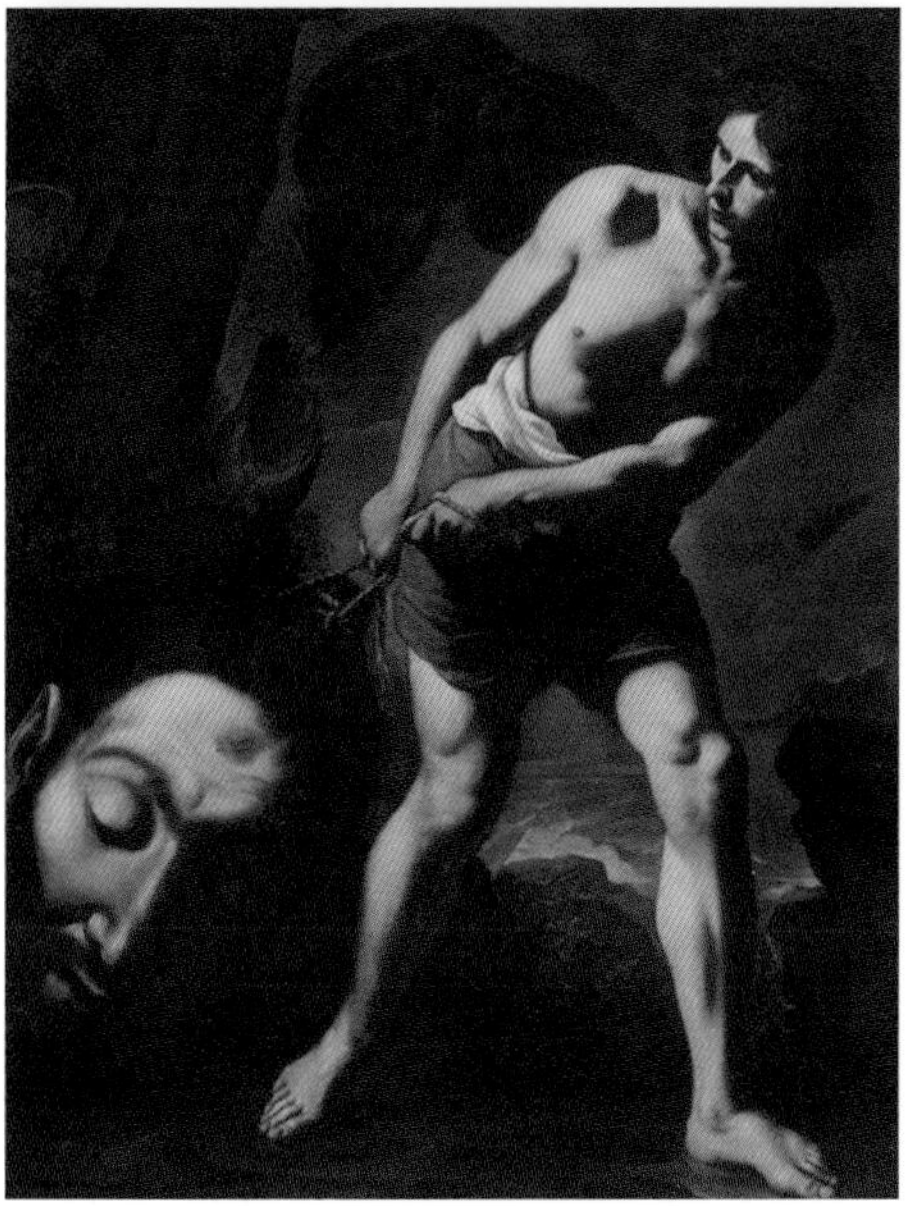

図40　アンドレア・ヴァッカロ、《ダビデとゴリヤテ》、1631-32年、個人蔵／ゴリヤテの首を提げたダビデの姿は何度となく作品に取り上げられてきたが、これほど頭部が巨大な作品は珍しい。巨人の額の中央に、少年が投じた石によってできた痣がある。

STORY
15
B.C.985年頃?
サムエル記
The book of Samuel

バト・シェバ

ダビデ王のゲス不倫

「おう、ご苦労じゃったの。ま、一杯やってくれぇや」

ダビデ組長が破顔しながら盃を手ずから渡してきた。組員のウリヤは身に余る組長からのもてなしに恐縮しながらも首を傾げた。こんなに良くしてもらう理由がないのである。

「戦況はどうかの？　おう、そか。そりゃええのう。よし、よし。こんなぁ、今日はもう家に帰って休むんじゃな、オンナとよろしくやったらええど」

ウリヤは戦場から突然、組長に呼び出されたのだ。何事かと思って急ぎ帰ってきたら、組長は猫撫で声でこんなことを言ってくる。彼は困惑して言った。

せっかくの組長の「お言葉ですが、それはでけんですわ。仲間はまだ戦場で戦っとりますけん。わしだけ妻とよろしうやったら申し訳のうて顔も合わせられんけん」

「こんなぁ、硬いこと言うない。組長のわしがええ言うとるんじゃ、な？」

「いくら組長の言葉じゃ言うて、それだけはでけんですわ。分かってつかぁさい」

ウリヤの頑固な態度にダビデは頰を引き攣《つ》らせた。実際、彼には企みがあったのである——。

実はダビデは彼の妻バト・シェバを寝取っていたのだ。沐浴《もくよく》している彼女をたまたま見かけたダビデは、その美貌に惹《ひ》かれてたちまち彼女を呼び寄せ、よろしくやったのである。問題は彼女がたった一晩で妊娠してしまったことだ。なので辻褄《つじつま》を合わせるべく夫のウリヤを戦場から呼び戻し、バト・シェバとよろしくさせようとしたのだが……。

「おどりゃ、このばかたれ。信じられん糞ばかたれが」

ダビデは心で呪詛を唱え、戦場に戻るウリヤに一通の手紙を持たせた。そして、ウリヤは戦死した。彼が持ち帰り、前線指揮官に渡した手紙にはこうあったのだ。「ウリヤを超激戦区の最前線に配置するように」と。

「フーッ、これで安泰」

ダビデはホッとしてバト・シェバの出産を見守りに行った。彼女は無事に男の子のやくざを産んだ。ヤハウェもやってきた。ヤハウェは男の子に鉄拳を食らわした。子供は七日後に死んだ。

架神恭介の〈仁義なき解説〉

ダビデはサウルの後に王位を受け継いだ。受け継いだというか奪ったというか。どうにもきな臭い話なのだが。それで、イスラエル王国（大きさ的には四国程度である）を支配することになったダビデだが、しばらくは真面目に王をやっていてヤハウェとの関係もまあ良好であった。ヤハウェがあまりに横暴なのでダビデが怒ったりする面白いエピソードもあるが（サムエル記下六章）、それに触れる紙幅の余裕はない。ともかく、そのヤハウエが掌を返すことになるのが、このバト・シェバの一件である。この罪深い事件によりバト・シェバとの間の子供は殺され、ダビデの後半生は波乱の人生となる。小説中では演出上ヤハウェが子供を殴り殺したことにしたが、実際は病で殺している。どちらにせよ何の罪もない子供を殺すなと言いたい。

ダビデとバト・シェバとの間には後に、もう一人子供が生まれた。その子があの有名なソロモンであり、王国を受け継ぐことになる。

図41　ウィレム・ドロスト、《バト・シェバ》、1654年、パリ、ルーヴル美術館／美しい裸体を晒しつつ、夫の上官たるダビデからの強引な口説きに、憂いの表情を浮かべるバト・シェバ。聖書のどこにも手紙という記述は無いが、バト・シェバはたいていダビデからの手紙を持った姿で描かれる。

図42　カール・パヴロヴィッチ・ブリュロフ、《バト・シェバ》、1832年、モスクワ、トレチャコフ美術館／未完成で終わった作品。この絵のなかのバト・シェバは、まだ口説かれる前だからか、他作品によくある悩める感じは一切なく、ひたすらに健康的な色気を振りまいている。

図43　ミケーレ・ロッカ、《ダビデとバト・シェバ》、18世紀前半、個人蔵／ロココならではの軽快な色彩とポチャポチャとした肢体が特徴的な作品。画面右上の宮殿屋上に、忠実な部下の妻バト・シェバの水浴びを見てしまい、邪な考えを抱くダビデの、英雄らしからぬ間抜け面がある。

STORY
16
B.C.946年頃?
列王記
The book of Kings

ソロモン王とシェバの女王

金満男とセレブ女の邂逅

「うふふ、むふふふふ、ぐふふ」

イスラエル組組長ソロモンはその日、上機嫌であった。でっぷりと肥えた身体を玉座で揺らして、涎を垂らしながらその時を待ちわびていた。今日はシェバから女社長が表敬訪問に来るのである。

彼は凄まじい大食漢であったが、股間にも力強さが漲っていた。彼のハーレムには七百人の妻と三百人の妾がいたのだ。外国人の女も多い。エジプト組のファラオの娘もいた。

「シェバの女社長はわしの名声に惹かれて来るようじゃのう……。ぐふふ、ヤハウェに知恵を求めたんは正解じゃったのう」

彼はかつて夢の中でヤハウェから「欲しいものを言え」と言われ、あえて知恵を求めた。長寿でも富でもなく、敵への勝利でもなく、知恵を求めたソロモンをヤハウェは良しとした。それからソロモンは知恵をもって知られるようになったのである。

「ぶひ、ぶひひひひ」

そして、ついに女社長が宮殿にやってきた。その美しい容姿にソロモンは鼻の下を伸ばすと、挨拶もそこそこに早速こう切り出した。

「なあ、すけべしようや」

「オホホ」

女社長は冗談と思ったのか軽やかにソロモンの誘いをかわすと、知的問答を立て続けに仕掛けてきた。ソロモンは仕方なく逐一それに答えた。彼女は感心した様子であった。ソロモンは「いける!」と思った。

ソロモンはさらに豪華な料理や華美な宮殿、ヤハウェに捧げる盛大なバーベキュー大会などを女社長に見せつけて己の力を示しつつ、彼女の肩にそっと手を回した。

「なあ、すけべしようや」

「オホホ」

彼女は取り合わず、代わりに多額の贈り物をソロモンに贈った。ソロモンは自らの財力を誇示するために、受けた物以上の贈り物を女社長に与えた。

だが彼女は贈り物を受け取ると、にっこりと笑ってソロモンの下を去っていった。

「なあ……すけべしようやー!」

去りゆく女社長の社用ラクダの一団を見送りながら、ソロモンは声高にそう叫んだが、彼女の姿は砂漠の向こうへと消えていった。

架神恭介の
〈仁義なき解説〉

ソロモンはダビデと、前章で採り上げたバト・シェバの子。ダビデの後を継いでイスラエルの王となった。

シェバの女王の来訪自体は聖書に書かれている。だが、世に言われるような女王とソロモンとの甘いロマンスなどは一切書かれていない。後世の人々の妄想であろう。小説中ではそれを戯画的に描いてみたが、実際はソロモンが女王に鼻の下を伸ばしたという描写すらない。聖書の記述は非常に淡白なものである。

ただし、ソロモンが好色だったことは聖書にも書かれている。無論、ファラオの娘などは政略結婚の一環であろうが、それにしても千人は多すぎる。この好色がヤハウェの怒りを買うことになった。正確に言えば、多数の外国人妻に付き合って異国の神を礼拝したことが問題視されたのだ。ただ、これも外交的に言えば決して悪いことではないのだが。周辺諸国としても自国の宗教に理解のある国の方が付き合いやすかろう。しかし、ヤハウェは許さない。この問題は次章でさらに明瞭となる。

図44　ピエロ・デッラ・フランチェスカ、《シェバ女王とソロモン王との会見》、1452-66年、アレッツォ、サン・フランチェスコ教会／大きな礼拝堂の壁一面に描かれた「聖十字架伝説」連作の一場面。遠近法の大家らしく計算ずくで設計された空間に、厳かに物語が展開されている。

図45　ピエトロ・ダンディーニ、《ソロモンとシェバの女王》、1700年前後、個人蔵／跪く可愛らしい幼な顔の女王に、聖書を読むかぎりどうみても女好きのソロモン王が赤ら顔で近づく。頑張って東洋風にしようとラクダも描かれている。

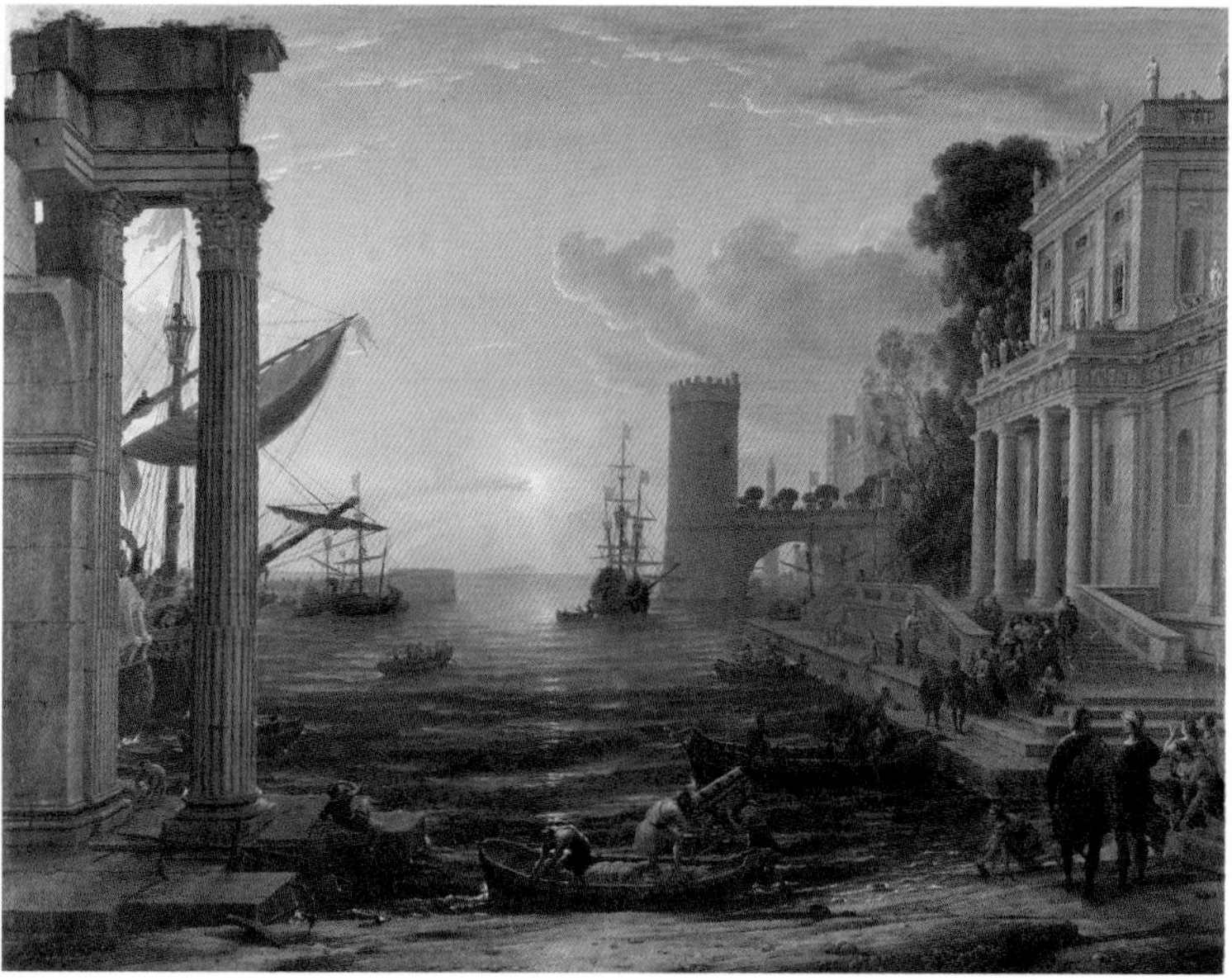

図46　クロード・ロラン、《上陸するシェバの女王》、1648年、ロンドン、ナショナル・ギャラリー／一見、海景画に思えるが、よく見ると建物の巨大さに比して人間があまりにも小さい。つまりこれは聖書エピソードに主題をとった、理想化された想像の風景である。

STORY
17
B.C.855年頃
列王記
The book of Kings

アハブ王

賢王に着せられた〝歴代最悪〟の汚名のナゼ

ソロモンがヤハウェ親分の怒りを買ったために、彼の死後、組は分裂した。北のイスラエル組と南のユダ組である。ソロモンの息子レハブアムがユダ組の組長となり、叛旗を翻したイスラエル組はヤロブアムが治めた。

そして、時が過ぎた――。

北イスラエル組の七代目の組長アハブはヤハウェ崇拝者たちから見て歴代最悪の組長であった。まず彼の妻、シドン組の女イゼベルが最悪であった。イゼベルはバアル親分と盃を交わしていたからだ。彼女はヤハウェの預言者《メッセンジャー》までも殺戮した。そして、アハブも妻に付き合ってバアルの事務所を建てたのである。最悪だった。さらに彼はアシェラという女やくざまでと盃を交わしていた。最悪だった。ヤハウェは他の有力やくざに色目を使う者を絶対に許さない。

これはアハブ率いるイスラエル組がアラム組との喧嘩に勝利し、アラム組長を慈悲深く解放してやった後の話である。一人の預言者が唐突に別の預言者仲間にこう言った。

「おい、わしをグーで殴ってくれぇ」

「突然どうしたんじゃ。頭でも茹《ゆ》だっとるんか?」

訳の分からないことを言われた彼は、首を傾げながらその場を離れたが、するとライオンが突如現れて彼を食い殺した。先の預言者は別の仲間にもう一度言った。

「おい、わしをグーで……」

「ウオーッ」

すぐさま鉄拳が飛び、預言者は吹っ飛んで地に倒れた。彼をグーで殴れというのは、実はヤハウェの命令だったのである。ゆえに従わなかった最初の仲間はヤハウェの血の制裁によりライオンの餌食となったのだ。

この預言者は立ち上がると、道端でアハブ組長を待って、叫んで言った。

「おどりゃこの糞ばかたれ！　おどれはほんまに最悪の屑じゃのう！　ヤハウェ親分は敵の皆殺しをお望みじゃったんじゃ。それをおどりゃ勝手に慈悲垂れよってからに、このばかたれが！　きちんと言いつけ守らんかい！皆殺し言うたら皆殺ししなんじゃ！　代わりにおどれが死ねや！」

罵倒を受けたアハブはブチ切れながら家に帰った。

架神恭介の〈仁義なき解説〉

聖書中では最悪の王とされたアハブだが実際は有能な王であり、二十二年間も王座を維持し、カルカルの戦いという大戦争でも勝利している。そんなに邪悪な王ならヤハウェが怒って直ちに殺せば良さそうなものだが、そうはならない。身も蓋もない話をすると、厳然とした歴史の事実が先にあり、それをヤハウェ崇拝者が独自評価しているのが聖書である。アハブがイゼベルと共にバアル神に浮気したのも聖書的には邪悪な行為とされるが、要は他国の宗教習慣を受け入れて国際化を目指したためだろう。一種の外交政策である。

とはいえ、何とかバチが当たってくれなければ困る。聖書ではアハブが敵王を助命したこと、民の葡萄園を奪ったこと、この二点の罪の合わせ技一本で神罰が下り、その後のアラム軍との再戦で戦死したことになった。後者はともかく、前者は現代人からすれば酷い話である。

図47　ギュスターヴ・ドレ、『聖書物語』より、1866年、パリ、国立図書館／ドレによる、木版画による聖書挿絵シリーズの一枚。アハブ王が戦死をとげる場面。

図48　ミケランジェロ・ブオナローティ、《アハブ王の民の死》か、1511年、ヴァチカン、システィーナ礼拝堂／システィーナ礼拝堂天井画で、預言者エゼキエルの上に描かれたメダイヨン。解釈に異論はあるが、異教の神バアルを信仰したことにより神罰をうけるアハブ王の軍と考えられている。

STORY 18
B.C.598〜B.C.538年頃
列王記
The book of Kings

バビロン捕囚

南王国滅亡、そのとき預言者は……

北のイスラエル組がアッシリア組に滅ぼされてからも、南のユダ組は百年程持ち堪えたが、ついに彼らの任俠道にも終焉が訪れんとしていた。バビロニア組が攻めてきたのだ。十九代目組長イェホヤキンは降伏し、バビロンへ捕囚として連れ去られた。傀儡組長として二十代目のツェデキヤフが即位したが、彼は機を見てバビロニアへの反抗に踏み切った。だが、その結果……、

「なあ、こんなぁに頼みがあるんじゃがのう……」

ツェデキヤフが預言者エレミヤの下を訪れた時には事態は逼迫《ひっぱく》した状況に陥っていた。彼らの本拠地であるエルサレムは既にバビロニアやくざにより完全に包囲されていたのだ。組長は預言者に縋《すが》り付いた。

「ヤハウェ大親分に尋ねてくれえ。かつてのようにわしらを助けてもらえんものかと」

「無理じゃ、おどれらは死ぬ」

エレミヤは冷たく言い放った。

「むしろヤハウェ親分がおどれらの武器を奪い、おどれらを殴りに行く。やくざも獣も疫病で死ぬ。それでもしつこく生き残ったならバビロニア組の手に渡す。バビロニア組長はおどれらを憐れみなくバリバリ殺す。どうにもならんけえ、早う投降するんじゃ」

「な、何を言うんじゃ！　わしゃヤハウェ大親分に助けてもらおう思うて来とるんじゃ！　それがなんで投降なぞせにゃならん！」

「じゃ言うて、仕方ないじゃない。親分はお怒りじゃけん。おどれらが何代にも渡って他のやくざ者に色目を使いよるけえ。バビロニア組が攻めてきたんもヤハウェ親分が動かしとるんじゃもの」

「おどりゃ、こン糞敗北主義者め！」

熱《いき》り立ってツェデキヤフは引き揚げた。だが、彼の背筋には冷たいものが走っていた。エレミヤがただの敗北主義者ではないことを彼は知っていたのだ。これまで幾度も投獄され、命を狙われ、それでも奴はなお同じ主張を繰り返している。奴は本物かもしれぬ……。

シマの焼け落ちる悲惨な姿を目にすることを恐れたツェデキヤフであったが、すぐにその心配はなくなった。バビロニア組長に捕らえられた彼はその両目を抉《えぐ》られたからである。

架神恭介の〈仁義なき解説〉

預言者は神のメッセンジャー。今回登場したエレミヤはイザヤ、エゼキエルと並ぶ三大預言者の一人だ。彼の主張（彼が神から受けたとする言葉）は「親バビロニア」であり、バビロニアの侵略は神からの罰だと説き、投降を勧め、バビロン捕囚も甘んじて受け入れるように言う。当時の人たちからすれば士気を下げまくる困った敗北主義者であろう。なので何度も投獄され殺されかかるが、バビロニアに占領された後は解放してもらえた。バビロニア側からすれば、親バビロニアであり声のでかいエレミヤは都合が良かったからだろう。

バビロニアは占領政策として、占領地の高官や熟練労働者を自国へ強制移住させた。これがいわゆる「バビロン捕囚」であるが、捕囚とは言っても扱いはさほど酷くはなかったらしい。住めば都というやつだろうか。ともあれこれでユダ王国も滅んだ。

図49　エドゥアルド・ベンデマン、≪ユダヤ人のバビロンへの移送≫、1865年、デュッセルドルフ、クンストパラスト美術館／後景の勝ち誇るバビロニア軍、前景で嘆くユダヤ人。この絵をもとに多くの版画が刷られた。

図50　メアリー・イヴリン・ド・モーガン、《バビロンの川辺にて》、1882年、ロンドン、ド・モーガン・センター／バビロンに移送されてきたユダヤの民。ラファエル前派の典型的な耽美様式が画面を覆う。

STORY
19
B.C. 5世紀前半
エステル記
The book of Esther

エステル

極悪非道の〝美談〟を演出した美貌の王妃

「エステルよ、おどれはわしに何を望むんじゃ？」

「私と、私の民の命です！」

ペルシア組長の前でそう言うと、妻エステルは緊張に固まった表情をようやく緩めた。遂に彼女は成し遂げたのだ……。進退窮まる恐ろしい立場に彼女は立たされていたのである。

事の発端は養父モルドカイがペルシア組長の命に逆らい、幹部やくざハマンに不遜な態度を取ったことに始まる。立腹したハマンはこの生意気なやくざをユダヤ組ごと殲滅すべくペルシア組長に進言した。突如としてユダヤ組全体に危機が及び、モルドカイはエステルにこう告げた。

「おう、命がけで組長の機嫌取ってこいや。でけん言うんじゃったら、わしらがおどれとおどれの家族を殺す」

いかなペルシア組長の妻とはいえ、呼ばれもしないのに組長の前に出れば、組長の機嫌次第では死刑である。だが、やらねば養父が殺しに来る。彼女は必死に身繕いして組長への懇願を行ったのだ。

ペルシア組長は猫撫で声で言った。

「おう、おう。おどれを殺すじゃやいうて、そぎゃあな恐ろしいこと考えとるんは誰じゃい」

「そこの腐り外道です！」

エステルはビシッとハマンを指差し、組長がギロリとハマンを睨んだ。「ちょ、ちょっと待ってつかい！」。ハマンは慌ててエステルに駆け寄ったが、その時、足がもつれて転んだ。たちまち組長が怒りに震えて叫んだ。

なんたる運命のいたずらか！　ハマンは転んだ弾みでエステルを押し倒し、今にも挿入しかねない体勢となっていたのである。

「お、おどりゃあ、ええ度胸しとるの……」

「ち、違うんじゃ、親分！」

ハマンは死んだ。

「じゃが困ったのう。ユダヤ組やくざの殲滅はわしが命令したことじゃけえ」

ペルシア組長は溜め息を吐いた。組長の命は撤回できないのだ。エステルがにっこり笑って言った。

「そんじゃったら追加でこう命令してつかぁさいな」

ユダヤ組殲滅の予定日。ユダヤやくざは大殺戮を行った。追加の命令はこうであった。「ユダヤ組を迫害する者を好きなだけブチ殺して良い」。七万五八一〇人を殺したユダヤやくざはスッキリして祝宴を開いた。

架神恭介の〈仁義なき解説〉

旧約聖書中でも指折りの胸糞悪い話であり、全ての登場人物に良識が欠けている。

舞台はペルシア帝国。バビロン捕囚を受けたユダヤ人であったが、その後、ペルシア帝国がバビロニアを倒し、彼らを解放した。しかし前述の通り、捕囚と言っても扱いはそう悪くなかったため、国に帰らずそのまま残留したユダヤ人は少なくなかった。エステルやモルドカイもそういった者たちであろう。

養女を脅迫して自分の尻拭いをさせたモルドカイも極悪だが、エステルも凶悪だ。ユダヤ人たちが一日虐殺した後に、彼女は王に「虐殺日の延長」を申し出て、さらに虐殺を助長させた。この「エステル記」が一般的に美談とされているのは理解に苦しむところである。

ユダヤ民族の憎悪と殺意を喜劇のオブラートに包んだ恐るべき民話であり、正典に入れるべきかどうかは当時疑問視されていたが、民衆の間で人気が高かったため、結局なし崩し的に正典に入ったようである。

図51　テオドール・シャセリオー、《エステルの化粧》、1841年、パリ、ルーヴル美術館／新古典主義の首魁アングルの弟子ながら、ロマン主義に接近して融合をはかり、師から破門された画家の作。

図52　フランソワ=レオン・ブヌーヴィユ、《エステル》、1844年、ポー（フランス）、ポー美術館／どことなく冷徹な印象のエステル。ブヌーヴィユは、カバネルとローマ賞を同時受賞した優れた画家ながら、代表作がほとんど破壊された画家。

図53　作者不詳、《エステル記のステンド・グラス》部分、1240年代、パリ、サント・シャペル／世界で最も壮麗なステンド・グラス空間を創りだしている一枚。エステルの隣はペルシア王アハシュアルス（クセルクセス一世）。

STORY
20
B.C. 5世紀中頃?
エズラ記
The book of Ezra

エズラ

異人妻は「ダメ。ゼッタイ。」

降りしきる冷たい雨の中、バビロンからの帰還民であるユダヤ組のやくざたちは神殿の広場に並び、ガタガタと寒さに震えていた。だが、彼らが震えていたのは寒気のためだけではない。ロクでもない運命が待ち受けていることに誰もが薄々勘付いていたのだ。

しばらくすると彼らの前に一人の男が現れた。最近ペルシア組からやってきたエズラという男だ。ペルシア組の幹部やくざであり、ユダヤ組問題を担当している男だった。この男が何やらとんでもないことを言い出したらしく、一部の者は既にそれに賛同しているとのことだ。

そのエズラだが、彼は突然皆の前で涙を流し始め、自らの上着をビリビリに引き裂くと、

「わ、わしゃあ……本当に情けのうて、恥ずかしゅうて、耐えれんわい」

涙に咽《むせ》びながらそう言ったが、次の瞬間、ヒステリックに叫んだ！

「おどれら糞カスがのう！　この地のおぞましいゴミカスどもを嫁にしとるけえじゃ！」

この激昂に一同はビクッと震えたが、エズラは構わず立て続けに言った。

「ヤハウェ親分が言うとったろうが。カナン組じゃのモアブ組じゃの、そういった糞どもの娘と結婚するなと。おどりゃ、このままじゃとヤハウェ親分が怒り狂ってわしら残らず皆殺しにするんが分からんのか！　じゃけえ、他の組の者《モン》と結婚しとる奴らは全員離婚して妻と子を追い出さんかい、このタコ！」

やくざたちは騒然とした。

「は、はあ!?」

「エズラさん、何ぬかしよるんじゃ」

「阿呆も休み休み言えや！」

だが、彼らの反感を押し潰すかのようにエズラが吼えた。

「じゃかっしゃアー！　アッホンダラァッ!!　ブチ殺すどー！」

その怒号にやくざたちは震え上がった。エズラはただ顔が恐ろしいだけではない。ペルシア組長から極刑の遂行を含む強権を与えられて来ているのだ。

結局、最後まで反対を貫いたのはわずか四名だけであり、他の帰還民はエズラに言われるがまま妻子を切り捨てることとなった。三ヶ月後、彼らの下から、妻子はとぼとぼと姿を消していった。

架神恭介の〈仁義なき解説〉

バビロン捕囚に生活上の厳しさはあまりなかったにせよ、ユダヤ人たちは自らの神殿を破壊され、故国から遠く離され、バビロニアの文化と宗教に晒《さら》されてアイデンティティ喪失の危機を覚えた。そこで彼らはヤハウェ崇拝を推し進めて民族のアイデンティティを保とうとした。そうして生まれたのがユダヤ教である。

こういった人たちなので、故国に帰った際に上述の如き極端な民族主義的行動に出てしまう。一部の層は右記の如き民族浄化を真顔で推し進めただろうが、多くの人達は愕然としたに違いない。聖書中では、反対した四名を除き、他全員が異国妻との離別を積極的に推し進めたことになっているが、いまいち考えづらい話である。

なお、「ルツ記」によればダビデの曾祖母（ルツ）はモアブ人。異国人である。これはエズラたちの民族主義があまりに気持ち悪かったので、カウンターとして語られた物語と考えられている。聖書にはあるテキストが別のテキストを批判しているということがしばしばある。

さて。見てきた通り、聖書は特に慈愛の書というわけではない。読んでも心が温まることはおそらくないだろう。一方で、他者への悪意や攻撃性、民族主義などは歯に衣着せずズバリと描かれており人間精神の暗黒面が浮き彫りとなっている。ただ、一部にはホッと心の休まる描写もあり、人間精神の中には善もきちんと存在していることが感じられる。

人間というものがリアルに描かれた文学であり、時代を超えて受け継がれるだけの迫力を備えた読み物が聖書である。

図54　ギュスターヴ・ドレ、『聖書物語』より、1866年、パリ、国立図書館／ドレによる、木版画による聖書挿絵シリーズの一枚。エズラがユダヤの民にモーセの律法を読んで感動させる場面

図55　ユリウス・シュノル・フォン・カロルスフェルト、《エズラによる神殿の再建》、1847年（1852-60年に刊行された聖書の挿絵として）／当時の画壇を支配していたアカデミーから離れ、キリスト教美術の復権を目指す「ナザレ派」に加わって活動した画家の作品。神殿を再興するための礎石を置く場面。

第二部

仁義なき旧約聖書の美術

聖書とはなにか

自宅に聖書がある方はそう多くないかもしれないが、聖書が部屋に置いてあるホテルはかなり多いので、宿泊のさいに机の引き出しを開けてみてほしい。けっこうなページ数があり、しかも小さな字がぎっしりと詰まっているはずだ。それほどの文章量が、かつては何世紀にもわたって口承で伝えられていたというのだから驚きだ。

聖書は、旧約聖書と新約聖書の二部構成である。よく「訳」の字を誤って付けている例を見るが、正しくは「契約」の「約」である。つまり旧約とは神と人類の間でかわされた古い契約のことであり、新約はあらたな契約を意味している。前者がユダヤ民族によって編まれた聖典で、後者はキリスト教によって作られたものだ。

キリスト教はイエスが地上に現れて、自らを犠牲にすることで人類の原罪を贖ったとしているが、ユダヤ教はイエスをキリスト（メシア／救世主）とは認めていない。そのため、キリスト教徒は旧約と新約の双方を読むが、ユダヤ教徒は新約を聖典とはしていない。彼らユダヤ教徒が自分たちの聖典を「古い契約」と呼ぶわけもなく、これはあくまでもキリスト教徒からみた呼び方だ。ユダヤ教徒たちは、「トーラー（モーセ五書）」「ネビイーム（預言者の書）」「ケトゥビーム（諸書）」の三部からなる聖典（旧約聖書とほぼ同じもの）を、三部の頭文字TNKをとって、「タナッハ」と呼んでいる。

旧約と新約

旧約聖書は、壮大な天地創造の物語から始まる。神が世界を創り、動物や人類を創る。男から女を創るが、彼らが言いつけを破ったために楽園から追放する。彼らの息子たちが最初の殺人をおかし、その後人類は増えていくが、失敗作だと感じた神は一家族だけを残して全人類を抹殺する。この他にもドラマティックなエピソードで溢れている『創世記』は、いわゆる「神話的記述部分」にあたり、聖書のなかでも飛びぬけて面白い。その後は、ユダヤ民族の歴史を書き連ねた「歴史的記述部分」が大半を占め、愛の詩や教訓などを集めた「文学的記述部分」が続く。

一方の新約聖書は、四つの福音書という、ひとことで言ってしまえばイエス伝にあたる「伝記的記述部分」が中核をなし、後半はパウロらが諸地域の信徒にあてた「書簡的記述部分」が大半を占めている。そのため当然ながら、人類全体と特定の民族による大きな流れの物語の集積である旧約に比べ、新約はイエスと使徒たちの生涯とその言動という、個人的なエピソードが主体をなす点に最大の違いがあると言えるだろう。

第一部では、こうしたふたつのタイプの物語のそれぞれを、ダイナミックに、かつユーモラスに、そして現代の日本人にも想像しやすいかたちで味わっていただいた。わが国にはユダヤ教は言うにおよばず、キリスト教の文化背景も充分にあるとは言えないので、仁義なきエピソードを手掛かりに楽しむことは、大いに益があるだろう。

しかし考えてみれば、クリスマスのような形式的な導入だけでなく、さまざまなかたちで聖書の文化はわたしたちの身の回りに染み込んでいる。たとえば「目からうろこ」という表現は新約聖書に由来するし、「目には目を、歯には歯を」という同態復讐法も、起源こそハンムラビ王だが、世界的に広まったのは旧約聖書の記述のおかげだ。

現在、世界で最多の信者数をもつ二大宗教であるキリスト教とイスラム教は、ともにユダヤ教を母として生まれた。この家族は他のほとんどの宗教と異なり、絶対的な唯一神のみを信仰する「一神教」という特徴を持つ。このことは、後述するように神の姿を絵画や彫像にしてはならないというルール（偶像崇拝の禁止）につながる。そのため、ユダヤ教もイスラム教もこのルールを厳格に守ってきたのだが、そのなかでキリスト教だけが神の姿を絵画や彫像にしてきた。それも、大々的にだ。

それはなぜか――。答えは、ユダヤ教がユダヤ民族だけを相手にしていたのに対し、キリスト教が他民族にも教えを広めようとしたからだ。これはパウロの進歩的な考えによってであり、彼のおかげでキリスト教が世界宗教となりえたのだが、しかしその過程では、言葉も通じない（当時はそもそも識字率自体がおそろしく低い）、しかも昨日まで他の神（たいていは複数の神がいる多神教だ）を信じていた人々に教えを伝える必要がある。

それならば、新聞もテレビも無い時代に、最も情報の伝達力があった「イメージ」すなわち「美術」の力を借りるほかない。こうして、聖書と美術の間に強固な関係が生まれたのだ。そして周知のとおり、紀元後の西洋世界はキリスト教世界とほぼ同義語なので、識字率が飛躍的に向上した十九世紀に入るまで、西洋美術これすなわちキリスト教美術とよべる時代が続いた。

そこで第二部では、こうした聖書と美術の結びつきを、さまざまな「仁義なきエピソード」をとりあげながら、複数の側面から見ていくことにしよう。それらを味わい、楽しむことで、異文化理解が一層深まり、今後の美術鑑賞がより味わい深いものになれば幸いである。

なお、第二部のここまでの記述は、『仁義なき聖書美術』【新約篇】と同内容のものであることをお断りしておく。

1 楽園追放

聖書にかぎらず、あらゆる宗教や神話には、人間が根本的に抱く疑問に対する答えを用意するという機能がある。たとえばそれは、私たちは何者か、この世界は誰が創ったのか、なぜ男と女がいるのか、といった疑問だ。旧約聖書も例外ではなく、特に神話的部分にあたる『創世記』には様々な疑問に対する答えが示されている。それらは太古のひとびとの長年にわたる思索の集積として貴重なものだ。

私たちはなぜ死ななければならないのか――。おそらく最も根源的な疑問であろうこの問いに対する答えが、よく知られたアダムとエヴァ（イヴ）の楽園追放のエピソードである。神は世界を創ったあと、人間を創って命じる。「園のすべての木から取って食べなさい。ただし、善悪の知識の木からは、決して食べてはならない。食べると必ず死んでしまう」（『創世記』第2章。以下、聖書の引用部分はすべて新共同訳から）。

エデンの園の中央には、二本の木が生えていた。命の木と、善悪の知識の木である。このうち、前者の実を食べているかぎり、その生物が死ぬことはない。つまり神は最初、アダムに永遠の命を与えていたことになる。し

図56　ヤコポ・ポントルモに帰属、《地上の楽園からの追放》、1535年頃、フィレンツェ、ウフィツィ美術館

図57　マザッチョ、《エデンの園からの追放》、1426-27年、フィレンツェ、サンタ・マリア・デル・カルミネ教会ブランカッチ礼拝堂

図58　アウレリアーノ・ミラーニ、《アダムとエヴァの追放》、18世紀前半、個人蔵

図59　トーマス・コール、《エデンの園からの追放》、1828年、ボストン美術館

かし周知のとおり、アダムとエヴァは禁断の後者の実を食べて、神の激しい怒りを買ってしまう。神はその事実を、彼らが裸なのを恥ずかしがったことで知る。つまり彼らは善悪の判断を手に入れたことで、自意識が芽生えたからこそ「恥ずかしい」という感情を抱いたのだ。結局、太古のひとびとが、人類と他の動物との違いを思考力と自意識の有無、より端的には服を着るか着ないかの差と考えていたことがわかる。

神は人類が思考力を持つことを望んでいなかった。つまり馬鹿なペットのままでいてほしかったのだから酷い話だ。しかし人類は判断力を手に入れて文明化し、その代償として永遠の生命を奪われる。神がふたりを楽園から追放したのはまさにこの理由によってであり、そのことは、神が追放するにあたって、「命の木からも取って食べ、永遠に生きる者となるおそれがある」から、と語っていることからも明らかだ。

この「原罪」こそ、ユダヤ教／キリスト教における最も根本的な思想であり、そのため美術にも頻繁に取り上げられてきた。それがいかに深刻な罪であるかを観る者に教えるために、それらは一様におどろおどろしく深刻に描かれている。

描かれた悲痛の叫び

マザッチョによる〈エデンの園からの追放〉（図57）は、「最初のルネサンス絵画」として、美術史上に燦然と輝く金字塔となっている。この絵が描かれているブランカッチ礼拝堂は、マゾリーノとマザッチョという、おそらく先輩後輩の間柄と思われるふたりの画家の手に委ねられた。ここで取り上げている作品のちょうど真向かいには、マゾリーノによって原罪の場面が描かれている。二点とも柱のため細長い画面のなかに、いずれもアダムとエヴァを主人公とする場面を選んだのだが、マザッチョの絵には、マゾリーノの絵には無いあらたな要素が三つ登場している。

マザッチョの描く人物たちの足元には影がある。この狭い画面のなかでも、画家は奥行きを表現しようとしているのだ。そしてアダムの人体構造の正確なこと。これは画家が明らかに実際の人物モデルをもとに描いたことを示している。そしてなにより目を惹くのが、嘆き悲しむふたりの仕草と表情である。これら「空間表現」「人体理解」「感情表現」こそ、ルネサンス絵画を規定する三要素であり、この作品が「最初のルネサンス絵画」と呼ばれる所以《ゆえん》となっている。事実、マゾリーノとそれ以前の中世絵画には、ジョットという先駆的な例外を除けば、これらすべてが欠けている。この新しさによって、同礼拝堂はルネサンスの画家たちにとっての生きた教材となり、ミケランジェロをはじめ多くの画家たちがこの壁画を模写して学んでいる。

諸説こそあれどポントルモに帰属されている作品（図56）でも、直截的な感情表現によって、今にもふたりの嘆きが聞こえてきそうだ。画面の右端に奇妙な生き物の姿が描かれているが、これはエヴァに禁断の実を食べるよう誘惑した蛇の姿である。その罪によって神は蛇を「呪われるもの」とし、手足をもいで「生涯這いまわり、塵を食らう」ようにした。これもまた、蛇という不思議な生物を目にした太古のひとびとへの説明機能なのだが、この記述によって画家は手足をもがれる前の姿を想像で描く必要があった。ここでは人間のような顔をもつ生き物として、そしてミラーニの作品（図58）ではなにやらドラゴンのような頭部をもつ怪物の姿で描かれている。

先述したように、原罪が明るみになったきっかけは裸であることに対する羞恥心なのだが、そのためマザッチョとポントルモは両者を裸体で描き、ミラーニは葉で覆い隠したはずと解釈している。描かれた時代の性的モラルが大きく作用するので、事実、ミラーニが生きたバロック時代には性器を直接的に描くことを良しとしない傾向にあった。

一方、イギリスで生まれアメリカで活躍したコールの作品（図59）では、ロマン主義の画家ならではの幻想的な風景が広がっている。光を放つ楽園の岩門から追放されたふたりが、画面中央やや左に非常に小さく描かれている。しかしそれでもなお、その姿からは、ふたりが背を曲げ、肩を落として嘆きつつ追い立てられる様子が伝わってくる。重苦しさが貫く旧約世界に、最初にこだまする悲痛の叫びはこうして描かれたのだ。

2 最初の殺人
カインとアベル

アベルは羊を飼う者となり、カインは土を耕す者となった。（……）主はアベルとその献げ物に目を留められたが、カインとその献げ物には目を留められなかった。カインは激しく怒って顔を伏せた。（……）二人が野原に着いた時、カインは弟アベルを襲って殺した。（『創世記』第4章）

旧約の神は意地悪だ。わざわざ、兄弟の仲を裂くような種を蒔《ま》くのだから――。

楽園を追放されたアダムとエヴァの間に、男児がふたり生まれる。長子カインと次男アベルの兄弟だ。彼らは労働によって得られた糧を神に感謝するために、収穫の一部を還元する。これが燔祭《はんさい》である。しかし記述にあるように、神はなぜかカインの捧げ物を無視し、アベルのものだけを受け取る。

図61　ヤン・ファン・エイクとフーベルト・ファン・エイク兄弟、《殺人》、《ヘントの祭壇画》上段右パネル、1432年、ヘント(ゲント)、シント・バーフ大聖堂

図60　ヤン・ファン・エイクとフーベルト・ファン・エイク兄弟、《神への捧げもの》、《ヘントの祭壇画》上段左パネル、1432年、ヘント(ゲント)、シント・バーフ大聖堂

図62　ティツィアーノ・ヴェチェッリオ、《カインとアベル》、1542-44年、ヴェネツィア、サンタ・マリア・デッラ・サルーテ教会

兄カインはこの仕打ちに耐えられず、弟アベルを殺害してしまう。それほどに神の存在は絶大だ。彼らは最初の人類の間にできた子なので、自動的にこれが人類最初の殺人となった。

油彩技法の発明者として知られるフランドルの画家ヤン・ファン・エイクが、兄フーベルトとともに制作した大祭壇画がヘントにある。第二次大戦中ナチスによって略奪された美術品を取り戻そうとしたモニュメンツ・メン作成の「優先度順美術品リスト」なるものがあるが、そのなかで筆頭に挙げられていたのがこの祭壇画である。それほどの至宝として名高いこの作品は、観音開きのような構造をもつ三翼祭壇画であり、その両翼の先端部を飾る二枚のパネルが、カインとアベルの物語である。これら二枚のパネルは同祭壇画のなかではサイズが最も小さく、しかも最も上端にあるので実際には細部の鑑賞は難しい。しかし、ほぼ単彩で描かれた両パネルでは、羊を捧げるアベルを背後から見ているカインの恨めしそうな表情まで実に明確に描かれている（図60）。一方、反対翼上端に描かれた場面では、カインがアベルを襲っている（図61）。動物の腰骨か何かで殴りつける兄の下で、弟は苦悶の表情を浮かべている。

弟殺しの逸話は何を意味するか

それにしても、神の理不尽さはなにゆえか。わざわざこのようなエピソードを聖書に記した目的は何なのか――。

鍵は彼らが選んだ職業にある。カインは農耕をする者で、アベルは牧畜を生業としている。そしてアベルの献げ物だけが神に選ばれるかわりに、彼はカインに襲われる。この構図はつまり、旧約聖書を創ったユダヤ民族が

図63　ヤン・ホッサールト、《カインとアベル》、1525年頃、ロンドン、大英博物館

置かれていた状況の縮図なのだ。ユダヤ民族は、定住を始めるまでは長い間遊牧民族であり、これをアベルが象徴している。彼の捧げ物だけが神に受け容れられたのは、つまりは彼らは神に選ばれし民族であることを意味する（いわゆる「選民思想」）。一方、ユダヤ地域の周囲には、エジプトやバビロニアなどの強大な農耕民族がいた。ユダヤ民族は実際にしばしば周辺民族の支配下に置かれていたため、旧約の神が彼らの捧げ物を受け取るはずがないのだ。

実のところ、旧約のこの兄弟たちの争いには、ベースとなった先行神話がある。後述するノアの洪水と同様に、メソポタミア地域のシュメール文明に起源をもつ神話であり、そこでは月の女神をめぐって、牧羊神と農耕神が争う。そのような古い神話を基にしながら、ユダヤ民族は自分たちが置かれた状況をそこに織り込んでいったのだ。

ヴェネツィア派ルネサンスの巨匠ティツィアーノによる〈カインとアベル〉（図62）では、カインがアベルを足蹴にしながら、こん棒で殴りかかる瞬間が描かれる。もともと天井に描かれていた作品なので、下から見上げたような大胆なアングルが採用されている。注目すべきは両者の背後に立ち上る燔祭の煙である。ファン・エイクの作品にあったように、カインはその年に生まれた羊の初子を、そしてアベルは麦穂の束を祭壇の上でおのおの焼いて、収穫を神に感謝するのだ。

ホッサールトによる版画（図63）では、兄は弟の顎をつかんで殴り斃す。殺人者の頭髪が異様にくるくるしているのも、メデューサ的なおどろおどろしさを加味するためだ。ホッサールトはライヴァル視していたデューラーの〈ライオンを殺すサムソン〉に触発され、対抗するためにこの版画を作った。筋肉の表現などがやたらと誇張されているのも、なんとか大版画家を乗り越えようとした模索の結果なのだ。

column

悪いのは女　原罪と男尊女卑

楽園を追放された二人組は、その後どうなったか。神は女に言いはなつ。「お前のはらみの苦しみを大きなものにする。お前は、苦しんで子を産む。お前は男を求め、彼はお前を支配する」。続いて神はアダムに言う。「お前は顔に汗を流してパンを得る。土に返るときまで」。

楽園追放のエピソードが、「なぜ私たちは死ぬのか」という疑問への説明機能を果たしていたように、

図64　フランツ・フォン・シュトゥック、《罪》、1893年、ミュンヘン、ノイエ・ピナコテーク

図65　アンナ・リー・メリット、《イヴ》、1885年、個人蔵

ここでは「なぜめでたいはずの出産があれほど辛いのか」「なぜ私たちは働かなければならないのか」という問いへの回答が用意されている。それにしても、男への罰に比べて女への罰の重さが際立つ。それはやはり、女がまず蛇の誘惑に負けて、次いで男をそそのかしたからにほかならない。だからこそ、女が男に支配される運命にあると書かれているのだ。こうして女は男の所有物となり、アダムはそれまでイシャー（女）とただ呼ばれていたパートナーに、初めてエヴァという名を与える。彼らは最初からアダムとエヴァという名ではなかったのだ。

ここには、聖書にかぎらず歴史のほとんどが男性によって書かれ、編まれてきたという背景がある。男は悪くない、悪いのは女だ——。これが旧約聖書全体のみならず、ユダヤ教とそこから派生したキリスト教とイスラム教の文化圏にその後も長くみられる男尊女卑の根拠となった。

書き手は常に男性だった

具体的に、旧約聖書のなかから、男尊女卑傾向がよくわかる文言をいくつか拾っておこう。「妊娠して男児を出産したとき、産婦は月経によるけがれの日数と同じ七日間けがれている」。これは『レビ記』からの一節だが、妊娠や月経という女性特有の生理現象はすべて穢《けが》れとみなされていたことがわかる。しかしそれだけにとどまらない。このあと、神は続けて次のようにモーセに言う。「女児を出産したとき、産婦は月経によるけがれの場合に準じて、十四日間けがれている」。おわかりだろうか。女児を産んだだけで、男児を産んだ場合の倍穢れるとされているのだ。

こうした例は枚挙にいとまがない。「女性の生理が始まったならば、七日間は月経期間であり、この期間に彼女に触れた人はすべて夕方までけがれている。生理期間中の女性が使った寝床や腰掛はすべてけがれる。彼女の寝床に触れた人はすべて、衣服を水洗いし、身を洗う。その人は夕方までけがれている」（『レビ記』第15章）。ずいぶん失礼な物言いだが、この偏執狂的な嫌い方も、聖書を編纂した男性側の偏見がそのまま書かれているからこそだ。

シュトゥックのエヴァ（図64）は、闇にまぎれてこちらに向かって怪しく微笑む。ただ誘惑されたからではなく、自ら進んで原罪をおかしたかのような能動的なエヴァは、典型的なファム＝ファタル的魅力を放っている。

3 バベルの塔　虐げられし民の恨み

旧約聖書における仁義なきエピソードとして欠かせないのが、有名なバベルの塔の物語だが、その記述は意外なほど短い。

世界中は同じ言葉を使って、同じように話していた。（……）彼らは、「さあ、天まで届く塔のある町を建て、有名になろう（……）」と言った。主は降って来て、人の子らが建てた、塔のあるこの町を見て、言わ

図66　コルネリス・アントニス、《バベルの塔の倒壊》、1547年、ロンドン、大英博物館

図67　マルテン・ファン・ファルケンボルフ、《バベルの塔》、1570-1600年頃、バーンリー(イギリス)、市民ホール美術館

図68　M.C. エッシャー、《バベルの塔》、1928年、ロンドン、大英博物館

れた。「彼らは一つの民で、皆一つの言葉を話しているから、このようなことをし始めたのだ。（……）我々は降って行って、直ちに彼らの言葉を混乱させ、互いの言葉が聞き分けられぬようにしてしまおう」（『創世記』第11章）

旧約の神は、自らが創った人間のやることにしばしば腹をたてる。ひとびとが名声を得ようと、協力して巨大建築をつくろうとしたのを、自らへの挑戦ととって言語を幾つかに分け、共同作業をやりにくくしてしまう。このエピソードもまた、「なぜ世界には様々な言語があるのか」、「なぜ異なる民族がいるのか」という根本的な疑問への説明をはたす機能を持っている。

同時にこの記述部分には、本来聖書にあってはならない言葉が入っていることでも知られている。というのも、一神教のはずの旧約の神が、ここでは自らのことを「我々」と複数形で呼んでいるのだ。神は天使たちに向かって話しているのだとする解釈ももちろんある。しかし、旧約聖書が編纂される際には、さまざまな出自をもつ諸々のエピソードが各地から集められたはずで、この第一人称複数形の問題は、その際に多神教を信じていた民族の逸話が、そのまま採り入れられた可能性もあることを示している。

ともあれ、このエピソードは「神を畏れよ」、「驕りたかぶることなかれ」といったモラルを教えるために、昔から教訓的説話として用いられてきた。読者のなかにも、幼稚園などでのお話として覚えておられる方もいるだろう。当然ながら美術でも何度か絵画化されてきたが、あまりにも壮大なためか、挑戦した画家の数は実はそう多くない。なにしろ、これまで存在したどの建物よりも巨大なものでなければならないのだ。そして、そのうち塔が崩壊しつつある瞬間を描いたものはさらに少ない。つまり、せっかくドラマティックな破壊シーンがあるにも関わらず、ほとんどの画家は建設中の塔を描くほうを選んだことになる。

イメージの源泉

興味深いことに、これまで描かれてきたバベルの塔には、大きく分けてふたつのタイプがある。平面図が円形（か楕円形）のものと、四角形のものである。ここには、誰も見たことのない巨大建築を想像で描くにあたって、画家たちのイメージの源泉となったものがふたつあったことが示されている。

アントニス作のエッチング技法による版画（図66）は、崩壊する瞬間をあつかった珍しい作品だ。画面左下に転がる石の表面に、制作年である1547の数字が記されている。まるで巨大なウェディングケーキのような塔が裂けて倒れる光景に、両手を拡げて驚き嘆く人々の姿がある。最上部にはラッパを吹きながら飛んでいる天使の姿があり、この破壊が神の意志によるものであることが示されている。

おそらく今日のバベルの塔のイメージは、ブリューゲルによる名高い作品（図13、41頁）によって決定されたと言ってよい。どこまでも広がる風景をバックに、雲を突き抜けるほど高くそびえる塔には、懸命に作業をする無数のひとびとが描かれている。クレーンなどは、画家が生きていた時代の建築技術がいかなるものかを教えてくれる。また画面左手前で、丈の長いマントを羽織っている人物はニムロド王といい、バベルの塔の建設を企画した人物とされている。この設定は実は聖書には書かれていない。「トーラー（ユダヤ教の律法書）」が書かれた後、それに解釈を加えた「ミドラーシュ」と呼ばれる一種の注釈本がいくつか作られたが、そこに書かれたニムロド王に関する記述を受けたものであり、オリジナルの聖書原文では淡白に表現されていたものが、後世さまざまに脚色されていったことがわかる。

これら二点の作品での塔は円形タイプだが、容易にわかるように、その原型となったのは各地に残るローマ時代の円形闘技場、なかでもローマのコロセウム（コロッセオ）をおいて他にない。

抑圧された民の恨み

一方、四角形タイプの塔（図67、68）の源泉は、さらに古いメソポタミア地域のジッグラトにまでさかのぼる。聖書には、バベルの塔の名の由来を、「混ぜる（＝バラバラにする）」を意味するヘブライ語「バーラル」と書かれているが、「バベル」にはもっと近い音の言葉がある。それがアッカド語で「神の門」を意味する「バブ・イル」であり、この名で呼ばれた古代の街、すなわち「バビロン」である。

バビロンは現在のイラク中部、首都バグダッドから一〇〇キロメートルちかく南に下ったところにあった都市で、古くからユーフラテス川の河岸に発達して大いに栄えた。ここを都とする国は古くは紀元前一九世紀からあるが（古バビロニア）、紀元前六二五年からはナボポラッサルによる国の首都となっていた（新バビロニア）。

メソポタミア地域には神々をまつる神殿としての多層塔「ジッグラト」があり、バビロンにも主神ベル・マルドゥクをまつるジッグラト「エテメンアンキ」があった。一九一三年に発見された紀元前二二九年の粘土板には、この塔が七層構造であること、そして縦・横・高さがすべて等しく九〇メートルあったことが記されていた。一方、紀元前四六〇年頃にこの地を訪れたギリシャの歴史家ヘロドトスによれば、一辺が一スタディオン（約一八〇メートル）にもなる。いずれにせよ、エジプトのギザのピラミッドと並んで、古代オリエント世界を代表する巨大建築物である。

ナボポラッサルの長男で新バビロニアの王位を継いだネブカドネザル二世によって、紀元前五八六年に滅ぼされたのが、ほかならぬユダヤ民族のユダ王国である。王はユダ王国最後の王ゼデキアの両目をえぐり出し、エルサレムの神殿と都市機構を破壊し、すべてのユダヤ人を自国に捕虜として強制的に移住させた、と伝えられている。俗に「バビロン捕囚」と呼ばれるこの状態は、紀元前五三九年に新バビロニアがペルシャによって滅ぼされるまで、約半世紀の間続いた。その間、彼らの頭上には常にエテメンアンキがそびえていた――。そう、バベルの塔が神によって打ち壊されるエピソードには、奴隷状態に置かれていた他国の首都にそびえている巨大な塔を、せめて物語の中で倒そうとしたユダヤのひとびとの切ない想いが込められているのだ。

4 大洪水

怒れる神のリセットボタン

押し寄せる波、徐々に高さを増す水の流れ。迫り来る死の恐怖から逃れるべく、少しでも高いところへと急ぐ家族。老いた父を背負い、頼りなげな枯れ木につかまる夫は、精一杯に腕を伸ばして必死の形相で妻を引き上げようとする。しかし二人の幼子にしがみつかれた妻は、我が子に髪を無慈悲にひっぱられてのけぞっている。そして彼女の足もとを、すでに息絶えた水死体が流れていく――（図69）。

一九世紀のフランス新古典主義の画家ジロデ＝トリオゾンは、暗闇のなかにスポットライトを照らして悲劇の光景にドラマ性を与えている。彼はダヴィッドの弟子なのだが、師とは異なるロマン主義的な手法をここでは採り入れている。その傾向は、まるでミケランジェロをコピーしたかのように引き延ばされた人体と、男性の誇張された肉体のたくましさにも見て取ることができる。やはり悲劇を描くのであれば、歴史画などにより適した新古典主義よりも、実際に起きた凄惨な事件などを何度も描いたジェリコーやドラクロワのロマン主義を選んだのは当然と言えるだろう。

この地は神の前に堕落し、不法に満ちていた。（……）神はノアに言われた。「すべて肉なるものを終わらせる時がわたしの前に来ている。（……）見よ、わたしは地上に洪水をもたらし、命の霊をもつ、すべて肉なるものを天の下から滅ぼす。地上のすべてのものは息絶える」（『創世記』第6章）

自分で創っておきながら、思った通りにならなかったので人類をすべて滅ぼすとは、神も身勝手なことをするものだ。ともあれ、こうして大地はすべて水の底に沈んでいく。メンベルガーの作品（図70）には、大勢の群衆が水に呑みこまれつつある光景が描かれている。逃げ惑う人、木の上に登る人、諦めたような顔でうつむく人。そのなかで、画面手前でなまめかしいポーズをとる女性の姿が目を惹く。これは、ティツィアーノ以来の「横たわる裸婦」の系譜に位置するもので、画家が当時流行の先端にあったヴェネツィア派の様式をいち早く学んだことがわかる。

周知のとおり、信心深いノアとその家族だけが神に選ばれ、指示通りに箱舟を造って危機を乗り越える。ペーテルスの絵（図71）では、すでに箱舟以外に生き物の姿はなく、荒れ狂う波の下に消えている。しかし遠方の雲間から光がふりそそぎ、神の試練にも終わりが近づいてきたことを教えている。そのことを確かめるべく、箱舟から放たれた鳥の飛翔する姿が小さく描かれている。

洪水伝説が教える聖書のルーツ

聞け、船を造れ。持ち物をあきらめ、おまえの命を求めよ。すべての生きものの種子を船へ運び込め。

『ギルガメシュ叙事詩』（矢島文夫訳より略引用）

ノアの物語に酷似したこのくだりは、『ギルガメシュ叙事詩』という、メソポタミア地域で編まれた神話の一節である。成立は紀元前一八〇〇年頃のことであり、つまりは旧約聖書が編纂されるより千年以上前からあったことを意味する。旧約聖書は明らかにこの先行テキストから多大な影響を受けている。以下に、両文献をさらに比較してみよう。

七日目がやってくると　私は鳩を解き放してやった　鳩は立ち去ったが、舞い戻ってきた　休み場所が見あたらないので、帰ってきた

私は燕を解き放してやった　燕は立ち去ったが、舞い戻ってきた　休み場所が見あたらないので、帰ってきた

私は大烏を解き放してやった　大烏は立ち去り、水が引いたのを見てものを食べ、ぐるぐるまわり、カア

図69　アンヌ＝ルイ・ジロデ＝トリオゾン、《洪水の情景》、1806年頃、パリ、ルーヴル美術館

図70　カスパー・メンベルガー（父）、《大洪水》、「ノアの箱舟」連作の第三場面、1588年、ザルツブルク宮殿美術館

図71　ボナヴェントゥーラ・ペーテルス一世、《大洪水》、17世紀前半、個人蔵

カア鳴いて、帰ってこなかった

『ギルガメシュ叙事詩』（矢島文夫訳）

四〇日たって、ノアは（……）烏を放した。烏は飛び立ったが、地上の水が乾くのを待って、出たり入ったりした。（……）

更に七日待って、彼は再び鳩を箱舟から放した。鳩は夕方になってノアのもとに帰って来た。見よ、鳩はくちばしにオリーブの葉をくわえていた。ノアは水が地上からひいたことを知った。彼は更に七日待って、鳩を放した。鳩はもはやノアのもとに帰って来なかった。

『創世記』（新共同訳）

鳥の種類こそ異なるものの、三度鳥を放つこと、最初の二羽は戻ってきたが三羽目は戻ってこなかったこと、そしてそれによって大地が現れたことを知る点など、両書にはこの他にも、偶然では決してありえないほど多くの共通点がある。さらには、『ギルガメシュ叙事詩』の洪水神話の源泉となっただろう、もっと古いテキストの存在が知られている。それが『ジウスドラの洪水伝説』であり、現存する粘土板写本こそ紀元前一六〇〇年頃のものだが、物語の成立自体はさらに千年ほど遡《さかのぼ》るものと考えられている。

『ギルガメシュ叙事詩』と『ジウスドラの洪水伝説』は、聖書とは違って多神教の神話である。どちらの洪水伝説でも、神々はユーフラテス川沿いのシュルッパクという街を滅ぼそうとする。考古学的調査によると、この街は現在のイラク南部のアル・ブダイルからやや南にある、テル・ファアラ遺跡にあたると考えられている。この地には今からざっと五千年前頃に都市が誕生しており、世界的に見ても最初期の都市文明のひとつにあたるが、驚くことに、この地域一帯を紀元前二八〇〇年頃に洪水が襲ったことも地質学的調査で明らかになっている。

いかがだろうか。私たちにとっては充分に古い旧約聖書だが、それが編纂された時代よりさらに二千年以上前に、メソポタミアで実際に発生した大洪水の悲劇が、めぐりめぐって洪水を神々から人類への罰とする神話を生んだのだ。そしてそれが後の時代の異なる民族によって、彼らの神話のなかに採用され、さらにその神話が旧約聖書に採り入れられていく。数千年にわたる洪水伝説の変遷は、そのスケールの壮大さにおいてすでに洪水の物語それ自体を凌《しの》ぐのではなかろうか。

column

裸の父を笑っただけで

呪われた子の運命

大洪水がおさまった後、この世にはノアとその家族だけが残った。彼には三人の息子がいた。セム、ハム、ヤフェトの三兄弟である。ヴェネツィア派の巨匠ジョヴァンニ・ベッリーニによる作品（図72）はノアと息子たちを描いたものだが、妙な絵だ。画面手前では老いたノアが全裸で横たわり、まわりにいる三人の息子たちが父に布をかけようとしている。左右のふたりが顔を背けているなかで、真ん中の息子だけがニタニタとした笑みを浮かべているのがおわかりだろうか。

あるとき、ノアはぶどう酒を飲んで酔い、天幕の中で裸になっていた。カナンの父ハムは、自分の父の裸を見て、外にいた二人の兄弟に告げた。セムとヤフェトは着物を取って（……）父の裸を覆っ

図72　ジョヴァンニ・ベッリーニ、《泥酔したノア》、1515年頃、ブザンソン、美術・考古学博物館

た。二人は顔を背けたままで、父の裸を見なかった。ノアは酔いからさめると、末の息子がしたことを知り、こう言った。「カナンは呪われよ。奴隷の奴隷となり、兄たちに仕えよ」（『創世記』第9章）

自分が泥酔して素っ裸で寝ていたのが悪いのに、それを見ただけの息子に対するには、あまりにも酷い仕打ちではなかろうか。それに輪をかけて理解に苦しむのは、ハム本人ではなく、なぜかその子であるカナンを呪っている点だ。

創られた対立民族の祖

謎を解くカギは、「カナン」という名にある。それが、そのものずばり「カナン人」を指していることは明白だ。旧約聖書はユダヤ民族の歴史書でもあるので、彼らと周辺の対立民族との関係を反映したエピソードが多い。とりわけカナン人はすぐ近くの死海沿岸部に住んでいた民族であり、ユダヤ民族との対立は激しく、それだけ聖書にも多く登場する。彼らが崇拝するバァル神話は多神教であり、ユダヤの一神教の伝統とは相容れない。とくに旧約聖書の『士師記』は戦いの歴史書とも言える内容であり、サムソンら英雄たちに率いられたユダヤ民族は、たびたびカナン系諸民族と矛を交えた。なかでもギデオンは、わずか三百人の手勢を率いてミディアン人を打倒したと書かれている（世界にいくつかある「三百兵勝利譚」のひとつ）。ユダヤはその頃まだ統一国家の体を為しておらず、確たる地盤を持っていなかった。紀元前一〇〇〇年頃になって、ようやくユダヤ独自の王国が建設され、士師サウルが初代の王となるが、それまでのおよそ三百年間は絶え間ない戦争の歴史である。

大洪水でいったん人類はノア達だけになったので、当然ながらその後の諸民族は息子たちのいずれかの末裔ということになる。そのうちセムはアッシリアやアラビアなど、主として中東地域のアジア系人種の祖とされる。ユダヤ民族の祖とされるアブラハムもセムの家系から出る。またヤフェトはヨーロッパ系白人の祖とされ、残ったハムが、カナン系諸民族およびアフリカ系黒人の祖とされているのだ。ちなみにバベルの塔の建設を始めたとされるニムロドもハムの子孫だ。

「カナン人を、あなたは彼らの憎むべき業故に憎まれた。魔法のわざと聖からざる儀式、その子供らの無慈悲な殺害、人肉と血を内臓までも食べる饗宴、狂躁者の集団の中心となる秘儀者、かよわいおのが子らを殺す親たち」――思いつく限りの酷い中傷を並べたようなこの文言は、旧約聖書外典である『ソロモンの知恵』の一節だ（荒井献編訳、第12章3－6節）。ここからも、いかにユダヤ民族とカナン人との対立が激しかったかが想像できる。呪われたハムの子孫の逸話は、ユダヤ民族が対立民族を貶《おとし》めるために、愚か者を勝手に彼らの先祖に仕立て上げた物語なのだ。

5 ソドムと同性愛

情け容赦ない旧約の神は、ときにひとつの都市をまるごと焼き尽くす。それがソドムとゴモラという街のエピソードである。ここでもノア的登場人物がいて、名をロトといった。

神は言う、「ソドムとゴモラの罪は非常に重い」(『創世記』第18章)。ただし、それが何の罪かは明記されていない。しかし、同性愛を指すソドミズム(ソドミー)がソドムの名に由来するように、古くからそれらは性的放縦、特に男色行為が流行っていた街だと解釈されている。このことは、「ソドムやゴモラ(……)、みだらな行いにふけり、不自然な肉の欲の満足を追い求めた」と、新約聖書の『ユダの手紙』に書かれていることで確かめられる。またソドムの人々の乱暴ぶりを示すエピソードとして、ロトの家を街の男たちが取り囲んだ際、彼らに向かってロトが「皆さん、乱暴なことはしないでください。実は、わたしにはまだ嫁がせていない娘が二人おります。皆さんにその娘たちを差し出しますから、好きなようにしてください」と懇願している(『創世記』第19章)。家に泊めた客人をかばうためではあるが、それにしても娘を持つ父親の言葉とはにわかに信じがたい。

主はソドムとゴモラの上に天から、主のもとから硫黄の火を降らせ、これらの町と低地一帯を、町の全住民、地の草木もろとも滅ぼした。(『創世記』第19章)

フランドルの画家ヒリス・モスタールは、この大破壊のシーンを、画面奥に流れる青い水によるわずかな「静」と、両岸にあるふたつの街を焼き尽くす赤い火の「動」との対比で描き出す(図73)。画面左手前で舟で逃れようとする人にも、神の手は容赦ない。舟にも硫黄が直撃したのだろう、積み荷から煙がたちのぼり、その手前で人々が両手を拡げて嘆いている。炎の赤色が反射する水面を漂う画面中央の大型帆船にも、帆の隙間から赤

図73　ヒリス・モスタール、《ソドムとゴモラ》、1597年、個人蔵

図74　ジョン・マーティン、《ソドムとゴモラ》、1852年、ニューカッスル・アポン・タイン（イギリス）、レイン・アート・ギャラリー

図75　アルブレヒト・デューラー、《ソドムから逃げるロトと娘たち》、1498年頃、ワシントン、ナショナル・ギャラリー

い色がのぞいている。

振り返ってはならぬ

ジョン・マーティンは黙示録的なシーンを得意とする、筆者のお気に入りの画家のひとりで、ここではソドムとゴモラを天から降る炎が覆いつくす（図74）。あまりに高温なため白っぽい黄色の光を放つ硫黄が、まるで大きな口を開けて鋭い歯を見せているようにもみえる。どちらの作品でも、画面手前右側に小さく描かれた三人の人物の姿があるが（モスタールではさらに天使もいる）、これらはロトと娘たちである。この三人の間に起こる奇妙なエピソードについては次章で扱う。

マーティンの絵のなかで、天から放たれた一条の雷が、画面を縦に裂いていることがおわかりだろうか。そしてその先には、人らしき別の姿がある。これはロトの妻の変わり果てた姿である。神が一行に対し、ソドムから逃がすにあたって「後ろを振り返ってはいけない」と厳命するが、妻はつい振り返ったので塩の柱にされてしまったのだ。

ここでもまた、誘惑に弱いのは女性であって男性ではないとする旧約聖書の基本姿勢が見え隠れする。エデンの園の禁断の実もそうだが、神はしばしば、わざわざ破りたくなるようなタブーを設定する。なかでも、「後ろを振り返ってはならぬ」や「見てはならぬ」といった類のタブーは世界中の神話や伝承にある。おそらく、「背後」は視界の外にある危険地帯で、死に直結しやすかった太古の記憶が源流なのだろう。

ドイツ・ルネサンス最大の巨匠デューラーの作品（図75）は、丸っこい輪郭のせいもあって一見牧歌的だが、後景には激しく炎の柱を噴き上げるソドムがあり、前景の三人組が行く旅路の途中に、塩となって黒っぽく変色した妻が描かれている。

同性愛へのヘイト

女と寝るように男と寝てはならない。それはいとうべきことである。(『レビ記』第18章)

女と寝るように男と寝る者は、両者共にいとうべきことをしたのであり、必ず死刑に処せられる。彼らの行為は死罪にあたる。(『レビ記』第20章)

男も、女との自然の関係を捨てて、互いに情欲を燃やし、男どうしで恥ずべきことを行い、その迷った行いの当然の報いを身に受けています。(新約聖書『ローマの信徒への手紙』第1章)

性的なことをやたらと嫌悪するのは聖書の特徴のひとつだ。とくに同性愛、なかでも男性同士のそれを激しく嫌っていたことが、ここに引用した数行だけでもわかるはずだ。ユダヤ教とキリスト教にみられるこの傾向は、彼らのまわりにいた多神教徒の神話の多くに、性的放縦と言えるメイン・キャラクターがいる点とよい対比をみせている。妻がいながら、老若男女や神人を問わずちょっかいばかり出していたゼウス／ユピテルなど、キリスト教徒の目にはどのように映っていたことだろう。

強調しておきたいが、かつて古代ギリシャでは少年愛こそが崇高な愛とされていた(これがプラトン的愛にあたるので、現代日本で純愛を指すプラトニック・ラヴの用法には誤解が含まれている)。しかしその後、ヨーロッパがキリスト教の世界になるにつれ、同性愛に対する不寛容さが強まっていった。たとえば、七世紀前後に何度か出された贖罪規定では、男色行為はおおよそ七年から一〇年の刑と定められていた（つまり死罪ではない）が、一二世紀になると社会的死を意味する「破門」となり、あげく一三世紀には「火刑」を同性愛者への刑罰とする法律が出され始めている。

一四世紀のイギリスの年代記作者が伝える逸話によれば、男色に耽《ふけ》って王妃をないがしろにしたエドワード二世が、王妃がさしむけた反乱軍に捕らえられた。父子揃って王の同性愛の愛人となっていたデスペンサー親子は、王妃の目の前で男性器を切断されて腹を割かれた。王にはより悲惨な刑が執行され、肛門へ赤く焼けた鉄の棒が挿入されたという。

6 仁義なき肉体関係

ロトと娘たちと

神に選ばれて、ソドムの街から助け出されたロトの一家には、その後に続く物語がある。それも、かなり奇妙なエピソードだ。筆者がまだ女子大の教員だった頃、聖書にある「ロトとその娘たち」のエピソードを講義すると、学生たちがゲー、気持ち悪いとよくつぶやいていたのを思い出す。内容は以下の通りだ。

ロトは（……）洞穴に二人の娘と住んだ。姉は妹に言った。「父も年老いてきました。この辺りには（……）、

図76　アルブレヒト・アルトドルファー、《ロトとその娘たち》、1537年、ウィーン、美術史美術館

図77　ヘンドリック・ホルツィウス、《ロトとその娘たち》、1616年、アムステルダム、国立美術館

わたしたちのところへ来てくれる男の人はいません。さあ、父にぶどう酒を飲ませ、床を共にし、父から子種を受けましょう」。娘たちはその夜、父にぶどう酒を飲ませ、姉がまず、父親のところへ入って寝た。父親は、娘が寝に来たのも立ち去ったのも気が付かなかった。(『創世記』第19章)

前節で述べたとおり、ロトの妻はタブーを破って塩の柱に変えられてしまった。あとには、老いたロトと二人の娘だけが残された。このままでは子孫ができないので、姉妹は父親と結ばれることを選んだ。彼女たちは父を酔わせ、まず姉が父の寝床に入る。そしてその翌日には、同じようにしてこんどは妹が父と寝る。その日もまた、ロトは娘が寝に来たことにも立ち去ったことにも気が付かない。

ここでまず注目すべき点は、近親相姦を発案した主体が娘たちであって父ではないこと、加えて父親が行為に「気がつかない」ことである。いくら酔っているからといって、性行為をしておいて気がつかない男などいるだろうか。ここでも聖書はあいかわらず、男に責任を負わせようとしない。

聖書の嘘を暴く画家たち

面白いのは、聖書の記述に反して、画家たちは父親の罪もしっかりと描き出している点だ。たとえばドイツの画家アルトドルファーの作品(図76)では、画面手前に娘とともに横たわる父が描かれているが、その目はしっかりと見開かれていて、口もとには好色そうな笑みさえ浮かべている。画面右手奥には対岸で真っ赤に燃えるソドムの街があり、中景にもうひとりの娘がいる。聖書では別の日のはずだが、ここではあたかも同じ日の出来事

図78　ルーカス・ハッセル、《ロトとその娘たち》、16世紀なかば、個人蔵

であるかのように、彼女もまた裸体をさらけだしている。そしてすでに子を宿したことを暗示するかのように、その下腹部は丸く膨らんでいる。

ホルツィウスの作品（図77）でも状況はよく似ているが、画家は二匹の動物を描きこむことで、このエピソードがもつインモラルさを強調している。後方から状況をうかがっている狐は抜け目なさやずる賢さのシンボルであり、手前にいる犬は、通常ならば忠実な愛の証だが、ここではモラルを見守る者としての役割を担っている。

ハッセルの作品（図78）は、前景の三人組を主人公として描きつつも、後方に配されたソドムの街が破壊される、ダイナミックな光景がひときわ目をひく。前節でみたとおり、ソドムからの逃避のシーンでは、たいていどこかに妻が固まった姿で描かれており、それを探すのも楽しみのひとつとなっている。この作品にも実に小さく描かれているのだが、どこにあるか探してみてほしい。

近親相姦エピソードの裏の意味

このように、一読しただけでは書かれた意図がわからない聖書エピソードの場合、カインとアベルの逸話がそうであったように、たいていはその裏に対立民族の影がある。事実、聖書ではこのあと、姉が産んだ男の子はモアブ人の祖となり、妹の息子のほうはアンモン人の父となる。これらはいずれもユダヤの近隣民族だ。ハムの子孫のくだりを思い出していただきたいが、ここでも同様に、自分たちユダヤ人は近隣諸国よりも出自が良いと箔付けしようとしたのだろう。

加えて、このような設定にした理由は他にもある。それは、ユダヤ民族のまわりはみな多神教徒だったことによる。一神教と異なり、最初に男女神から始まる多神教は、宿命的に近親相姦からものごとが始まる。たとえばギリシャ神話は近親相姦で溢れており、主神ゼウスと妻ヘラからして姉弟だ。ちなみにエジプト神話のオシリスとイシスの夫婦も、日本のイザナギとイザナミ夫婦も兄妹だ。

ユダヤ民族にとっても血脈を残すことが最大の義務だったため、たとえば子をなす前に亡くなった兄弟が残した妻を、他の兄弟が娶《めと》ることは当然のことだった。しかし彼らは概して近親婚に厳しく、洗礼者ヨハネがヘロデ王を激しく攻撃したのも、王が近親相姦にあたる婚姻をしたとの理由においてである。神はモーセに伝える。「肉親の女性に近づいてこれを犯してはならない」「母を犯し、父を辱めてはならない」「姉妹は（……）犯して、辱めてはならない」。近親者との性行為を禁じるこのくだりは、これら以外にも延々と続く。それほどに聖書は近親相姦を嫌悪しているのだ。

column

神罰としての病

神がこの世にあるものすべてを自ら創ったのなら、なぜこの世には病があるのだろう――。旧約の万物の創造主を信じる者なら、当然のように抱く疑問だろう。宗教や伝承には人

図79　ニコラ・プッサン、《アシュドドのペスト》、1630年、パリ、ルーヴル美術館

間の根本的な疑問への答えを示す機能があると述べたが、このケースでは、可能な回答はふたつしかない。

ひとつは、その通り、神がすべて創ったのだから、病も当然神の被造物である。神は堕落した私たち人類を懲らしめるために、あえて病をつくりたもうた、というものだ。一方、これと異なる回答は、いや神がそのようなものを創るはずもなく、神に歯向かう存在が現れて、悪さをするためにそれらを創り出したとの説明だ。前者がいわゆる「神罰」としての病であり、後者でいう「歯向かう存在」が「悪魔」として説明される。

一四世紀中葉にヨーロッパに持ち込まれて大禍をひきおこし、近代末に至るまで、欧州における死因の一位をながく占めていたのがペスト（黒死病）である。もともと齧歯類の間での伝染病だったが、ネズミとノミなどを介して人間も感染し、最初はリンパ節などを紫色に腫れあがらせ、急速に全身を侵して高確率で死に至らしめる。原因や感性経路もよくわかっていなかったのだから、ある日、何のきっかけもなく四〜五人にひとりの割合でいきなり体が黒く腐り始めるのは、どれほど怖ろしい現象だったことだろう。なるほど、ひとびとがこの病を神罰と考えたのも無理はない。

ヨーロッパに侵入する以前にも、黒海沿岸や中東地域では知られた病だったので、ペストは旧約聖書にも登場する。例によって周辺の対立民族がらみのエピソードだ。ユダヤ民族を率いてエジプトから脱したモーセが、神から十戒を授けられたのはよく知られているが、その石板をおさめていた容れ物を「契約の箱（神の箱）」という。それがペリシテ人に奪われ、アシュドドという街に運ばれた。今日のパレスチナの語源となった民族だが、彼らはその頃、ダゴンという半人半魚の神を崇めていた。彼らは神の箱をダゴン神像の前に飾った。

その翌朝、早く起きてみると、ダゴンはまたも主の箱の前の地面にうつ伏せに倒れていた。しかもダゴンの頭と両手は切り取られて敷居のところにあり、胴体だけが残されていた。（……）主はアシュドドとその周辺の人々を打って、はれ物を生じさせられた。（……）町全体が死の恐怖に包まれ、神の御手はそこに重くのしかかっていた。（『サムエル記　上』第5章）

プッサンが描く〈アシュドドのペスト〉（図79）では、人々は逃げ惑い、道には青白く変色した死体が横たわる。画面手前には、すでに息絶えた母の乳房にむしゃぶりつく乳児がいる。画面左端に倒れている石像がダゴンであり、聖書の記述通り胴体から頭が切り離されている（プッサンはこの神が半人半魚であることを知らない）。

プッサンが生きたバロック時代は、旧約聖書が編纂された時代から大きく隔たっているが、実際にペストがしばしば猛威を振るっていた。時には街の人口の三分の一が失われたような例さえある。そのため、彼らにとってもペストはかわらず最も恐ろしい神罰であり続けた。これは私たちの悪い行いのせいである。モラリストのプッサンはそう言いたかったのかもしれない。

図80　ティツィアーノ・ヴェチェッリオ、《イサクの犠牲》、1542-44年、ヴェネツィア、サンタ・マリア・デッラ・サルーテ教会

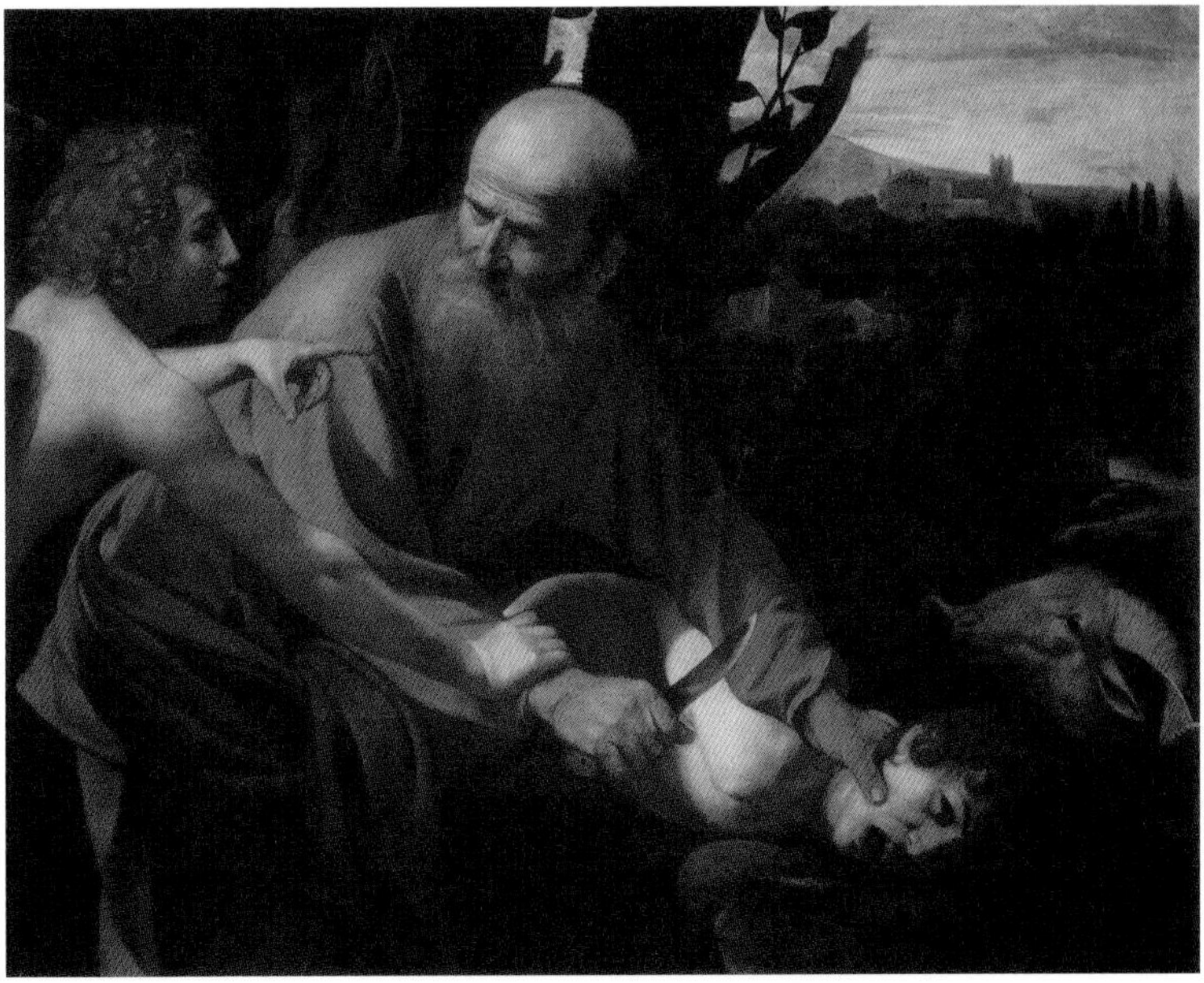

図81　ミケランジェロ・メリージ・ダ・カラヴァッジョ、《イサクの犠牲》、1601-02年、フィレンツェ、ウフィツィ美術館

7 信心をためす神

アブラハムの試練

人類が旧約の神によってうける試練はまだまだ続く。なかでも、ユダヤ民族の祖とされるアブラハムに課せられた試練は、その過酷さで知られている。彼には妻サラがいたが、子に恵まれぬままふたりとも年老いてしまった。そこで神は彼らの願いを聞き入れ、子イサクが生まれた。実はアブラハムにはそれ以前にも、妾のハガルに産ませた子がいるのだが、イサクが生まれたため、サラの希望でハガル母子は追い出されてしまった。ようやく子宝を得て喜んでいたアブラハムだが、しかし神は彼に対して驚くような命を下す。

あなたの息子、あなたの愛する独り子イサクを連れて、（……）彼を焼き尽くす献げ物としてささげなさい。（『創世記』第22章）

神のこの理不尽極まれる残酷な命令に対し、現代的感覚では理解しがたいことに、アブラハムは素直に従い、さっそく翌朝には刃物と薪を持ってイサクを連れ出す。途中でイサクが、生贄の羊を連れていないことを不審に思って父になぜかと尋ねるが、とにかく私たちの献げ物を神は気に入るだろうとのみ父は答える。息子はおそらくこの時に自らの運命を予感したはずだ。

約束の場所に到着すると、父は「息子イサクを縛って祭壇の薪の上に載せた。そしてアブラハムは、手を伸ばして刃物を取り、息子を屠ろうとした」。その瞬間、天使があらわれて止めに入る。この劇的な場面は、芸術家たちによってしばしば取り上げられてきた。ティツィアーノはヴェネツィア派ルネサンスの画家だが、様式的にはすでにルネサンスからの逸脱期にいたことが作品（図80）からはよくわかる。左上から右下への対角線構図、激しく身をよじるアブラハムのポーズ、明暗の強い対比。これらはいずれもルネサンス期のものではなく、その反動として登場したマニエリスム美術の要素である。

一方、バロックの巨匠カラヴァッジョの作品（図81）では、彼の専売特許ともいえる、上方から射すスポットライトによる強い明暗の対比が画面を支配する。劇的な場面を瞬間的に切り取りつつも、まるでフラッシュをあてて撮ったかのように凜とした静けさで覆われるのがカラヴァッジョ空間の特徴だ。それに対し、北方の大家レンブラントは、基本的にはカラヴァッジョ的な明暗表現を採り入れつつも、天使につかまれたアブラハムの手からまさに落下中のナイフが描かれていたりと、画面に臨場感のある動性を与えている（図19、49頁）。

神を畏れよ

キリストの言行録ともいえる新約聖書に通じるエピソードが旧約聖書にもある場合、キリスト教徒はそれらを新約の「原型」に対する「予型」とみなした。これをタイポロジーと呼ぶが、キリスト教徒である前述の画家たちがこの主題を描いたのも、生贄にされかけるイサクが、人類の原罪を贖うために自らを犠牲とするキリストの「予型」とみなされたからこそだ。

ティツィアーノの画面にも、そのことを鑑賞者にわからせるためのモチーフである「犠牲の子羊（＝キリストの象徴）」が、イサクの足もとにちゃんと描かれている。聖書の記述では本来この場に子羊はいないはずだが、子羊は頭をおさえられたイサクの視線の先にいる。つまりイサクは自らが犠牲となることを受け容れており、達観したかのような穏やかな表情さえうかべている。

もちろん、こうした主題を描かせる側（教会などの注文主）には、民衆に「神を畏れよ」と教える教育的効果への期待がある。だからこそ、神の理不尽な命に対し、家族を守ろうともせず諾々と従うアブラハムは、信仰心の鑑としてたたえられもしたのだ。なお、このエピソードには、人身御供を慣習としていた周辺民族への反対表明だとする解釈もある。

8 二枚のユディト 「殺す女」を描く女

アッシリアの王が、ユダヤを支配下におくため軍を差し向ける。将軍ホロフェルネスに率いられたアッシリア軍は、ユダヤの街べトリアを包囲する。街には、夫を亡くして寡婦となっていた女性ユディトが住んでいた。捕えた彼女の美しさにすっかり心奪われた将軍は、従者につぶやく。「あのような女を抱かずにほうっておくのは我々の恥だ」。

ユディトを同席させての将軍の酒宴が始まった。しかし彼女は一計を案じていた。彼女のもてなしにすっかり気をよくした将軍は、「生まれてからまだ一度も飲んだことのないほど多量のぶどう酒を飲んだ」。

図82　ミケランジェロ・メリージ・ダ・カラヴァッジョ、《ホロフェルネスの首を斬るユディト》、1598年頃、ローマ、国立古代美術館

図83　アルテミジア・ジェンティレスキ、《ホロフェルネスの首を斬るユディト》、1612年頃、ナポリ、カポディモンテ国立美術館

天幕にはユディト一人が残された。ホロフェルネスはぶどう酒を浴びるほど飲んで、寝台の上に倒れ伏していた。ユディトは（……）彼の短剣を抜き取った。そして、寝台に近づくと彼の髪をつかみ、（……）力いっぱい、二度、首に切りつけた。すると、頭は体から切り離された。（旧約聖書続編『ユディト記』第13章）

男性上位の旧約聖書にあって、女性が主人公の話は珍しい。しかも、知恵と勇気で男性を打ち倒す物語だ。ネブカドネザル二世がアッシリアの王と書かれていたりと（バベルの塔の項で述べたとおり、正しくは新バビロニア）、妙なところはあるのだが、ともあれこのエピソードによってユディトの名はユダヤ民族の女傑として高い知名度と人気をほこっている。

この劇的なエピソードを描いた二枚の絵がある。ひとつは、バロック時代に絵画に変革をもたらしたカラヴァッジョによるもの（図82）で、もう一枚は彼とほぼ同時代を生きた女性画家アルテミジア・ジェンティレスキによる作品（図83）である。どちらも、寝台に横になっているホロフェルネスの横で、聖書の記述通りに彼の髪をつかんだユディトが立ち、首に鋭い刃を突き立てている。いずれも明暗の対比が強いが、これはアルテミジアがカラヴァッジョ様式の影響下にあることを示している。

カラヴァッジョの作品では、眉間にしわを寄せて蛮行におよぶユディトの後ろに、首を入れるための袋を提げた侍女がいる。瞬間のドラマ性を切り取る名手ならではの迫真性だ。一方アルテミジアの絵では、人体の正確な描写こそカラヴァッジョに及ばないものの、ユディトの腕には力が入り、躍動感がある。比較してみれば、カラヴァッジョのユディトが、民族のために「いやいや」敵将の首を斬っているように見えるのに対し、アルテミジアの描くユディトは、渾身の力をこめて、男の首を「積極的に」斬っているようにも見える。それはまるで、男という生きものの全存在を憎んででもいるかのようだ。

自らすすんで剣をとる

アルテミジアは一五九三年にローマで生まれた。画業が現在のような個人プレーではなく、工房による分業制だった時代、女性が技術を習得する機会はほとんど無かった。にもかかわらずアルテミジアが優れた画家となりえたのは、ひとえに彼女が画家オラツィオ・ジェンティレスキを父に持ったことによる。最後にはイギリスへ宮廷画家として招かれたほどの画家である父のもとで、娘は幼い頃から絵画に親しむことができた。

アルテミジアが二十歳になる前、父の工房にはアゴスティーノ・タッシという男が出入りしていた。タッシは遠近法の専門家だったが、それまでにも非行が何度かとりあげられたことがある、なにかと問題のある男だった。ある日、アルテミジアのもとに客でもあるトゥツィアという女友達が来ていた。事件は、トゥツィアがそばを離れて二階にあがった隙に起きた。

「トゥツィアはすぐに上の階へ行きました。それから、まさにその日、アゴスティーノはアルテミジアの処女を奪ったのです」。——裁判での父オラツィオによる証言記録（筆者訳）

その後数年間にわたってタッシは娘を何度も強姦したと、父は裁判にうったえた。ところが親子は同情よりも好奇の目で見られた。裁判記録が語るところでは、上記の事件後も、約一年間にわたってタッシは工房に出入りしている。父オラツィオも両者の関係に気づいていたはずで、それならばアルテミジアの同意があったのではな

図84　アレッサンドロ・トゥルキ、《ヤエルとシセラ》、1600-10年頃、デイトン（アメリカ）、デイトン・アート・インスティトゥート

いか――。裁判では結局、タッシは強姦ではなく、妻がいながらアルテミジアと関係を続けたことの罪を問われた。開廷から五ヶ月後、タッシにはごく軽微な罰が言い渡されただけで、裁判は幕を閉じた。

しかしアルテミジアにとっては、それからが長い闘いの始まりだった。閉廷後まもなく、父娘はローマをあとにする。おそらく中傷にたえられず、逃げるようにしてフィレンツェへ引っ越したはずだ。その時、アルテミジアには夫がいて娘も生まれたが、この結婚は長くは続かなかった。その後も各地を転々とするが、すでにアルテミジアには「ふしだらな女」というレッテルが貼られていた。アルテミジアは、画家としての栄光と、それに反比例するような孤独につつまれた一生を送った。

どうだろう、なぜアルテミジアの描くユディトが、自らすすんで男の首を斬ろうとしているのか、容易に想像できるのではなかろうか。

復讐される男たち

聖書には他にも男を殺す女たちがいる。たとえばカナン人の将シセラは、ユダヤの軍に敗れて、同じカナン人だが別の部族のところに逃げ込んだ。しかしそこの民は、逃げてきた部族による搾取に日頃から苦しめられていた。そこで、民のひとりでヤエルなる女性は、シセラにミルクを飲ませて眠らせてしまう。

ヤエルは天幕の釘を取り、槌を手にして彼のそばに忍び寄り、こめかみに釘を打ち込んだ。釘は地まで突き刺さった。（『士師記』第4章）

画家トゥルキは、この恐ろしげなシーンを描くにあたり、ヤエルに高く槌を振り上げさせ、いっぱいに力をこめた様子をダイナミックに描いている（図84）。一方、北方の大家レンブラントは、ユダヤの将サムソンに勝利する女性デリラの姿を描いている（図35、72頁）。怪力を誇るサムソンの魔力がその髪に由来することを見抜いたデリラは、彼をとりこにして、隙をみて髪を切る。画面奥には、頭髪をつかんで高笑いしつつ逃げるデリラがいる。サムソンの体を斜めから描くなど、より劇場的な臨場感を与えようとする画家の工夫が散りばめられた作品である。

男を殺す女たちのエピソードはしかし、あくまで対立民族との闘いでのひとこまであり、一般女性が常に弱い立場に置かれていたことに変わりはない。新約聖書で洗礼者ヨハネの首を刎ねさせるサロメなどとともに、彼女たちは例外的に男性を圧倒する存在だったからこそ、徐々に「ファム＝ファタル（運命的な女）」として人気を博すようになる。

参考文献

【前口上】
『カラヴァッジョへの旅　天才画家の光と闇』、宮下規久朗、角川学芸出版、二〇〇七年

【第一部】
『旧約聖書Ⅰ～Ⅳ』、旧約聖書翻訳委員会、岩波書店、二〇〇四、二〇〇五年
『新共同訳　旧約聖書略解』、木田献一監修、日本キリスト教団出版局、二〇〇一年
『ユダヤ古代誌1　旧約時代篇Ⅰ～Ⅳ巻』、フラウィウス・ヨセフス著、秦剛平訳、ちくま学芸文庫、一九九九年
『シナリオ　仁義なき戦い』（Kindle版）、笠原和夫、幻冬舎、二〇一四年
『「バカダークファンタジー」としての聖書入門』、架神恭介、イースト・プレス、二〇一五年
『仁義なきキリスト教史』、架神恭介、ちくま文庫、二〇一六年

【第二部】
『聖書』、新共同訳、日本聖書協会
『新約聖書外典』、荒井献編、講談社文芸文庫、一九九七年
『旧約聖書外典　上・下』、関根正雄編、講談社文芸文庫、一九九八年
『使徒教父文書』、荒井献編、講談社文芸文庫、一九九八年

『黄金伝説1〜4』、ヤコブス・デ・ウォラギネ著、前田敬作・西井武訳、平凡社ライブラリー、二〇〇六年
『神曲』、ダンテ著、平川祐弘訳、河出文庫、二〇〇八年、二〇〇九年

The Book of Saints, A. & C. Black, LTD, 1931.
Who's who in the Bible, Peter Calvocoressi, Penguin, 1987
Dizionario della Pittura e dei Pittori, Giulio Einaudi editore, 1989
Simboli, Garzanti, 1991
Dictionary of the Bible, W. R. F. Browning, Oxford University Press, 1996
Santi, Rosa Giorgi, Electa, 2002
Simboli e allegorie, Matilde Battistini, Electa, 2002
Angeli e Demoni, Rosa Giorgi, Electa, 2003
Episodi e personaggi dell' Antico Testamento, Chiara de Capoa, Electa, 2003
Episodi e personaggi del Vangelo, Stefano Zuffi, Electa, 2003
Simboli, protagonisti e storia della Chiesa, Rosa Giorgi, Electa, 2004
Morte e Resurrezione, Enrico De Pascale, Electa, 2007
Cristianesimo, Giovanni Filoramo, Electa, 2007

『聖人事典』、ドナルド・アットウォーター、キャサリン・レイチェル・ジョン著、山岡健訳、三交社、一九九八年

『聖書人名事典』、ピーター・カルヴォコレッシ著、佐柳文男訳、教文館、二〇〇五年
『図説　キリスト教聖人文化事典』、マルコム・デイ著、神保のぞみ訳、原書房、二〇〇六年
『地図と絵画で読む聖書大百科』、バリー・J・バイツェル監修、船本弘毅日本語版監修、山崎正浩他訳、創元社、二〇〇八年
『図説　聖書人物記』、R・P・ネッテルホルスト著、山崎正浩訳、創元社、二〇〇九年
『キリスト教美術図典』、柳宗玄・中森義宗編、吉川弘文館、一九九〇年
『西洋絵画の主題物語Ⅰ 聖書編』、諸川春樹監修、美術出版社、一九九七年
『週刊西洋絵画の巨匠』シリーズ、小学館、二〇〇九年
『キリスト教とは何か。Ⅰ』、池上英洋監修、阪急コミュニケーションズ、二〇一一年
『キリスト教とは何か。Ⅱ』、阪急コミュニケーションズ、二〇一一年
『残酷美術史』、池上英洋、ちくま学芸文庫、二〇一四年
『死と復活』、池上英洋、筑摩選書、二〇一四年

本書の第一部は、『芸術新潮』（新潮社刊）、二〇一六年六月号掲載の「ザ・旧約聖書ストーリーズ すべては神ヤハウェから始まった」を加筆・改筆の上、収録したものです。なお、第一部の図版ならびにコメントは、本書のために新たに選定、作成されたものです。

前口上・第二部は、書き下ろしです。

◉筑摩書房の本◉

〈ちくま文庫〉

仁義なきキリスト教史

架神恭介

イエスの活動、パウロの伝道から、叙任権闘争、十字軍、宗教改革まで――。キリスト教二千年の歴史が果てなきやくざ抗争史として蘇る！　解説　石川明人

〈ちくま文庫〉

よいこの君主論

架神恭介
辰巳一世

戦略論の古典的名著、マキャベリの『君主論』が、小学校のクラス制覇を題材に楽しく学べます。学校、職場、国家の覇権争いに最適のマニュアル。

〈ちくま新書〉

完全教祖マニュアル

架神恭介
辰巳一世

キリスト教、イスラム、仏教などの伝統宗教から現代日本の新興宗教まで古今東西の宗教を徹底的に分析。教義や組織の作り方、奇跡の起こし方などすべてがわかる！

●筑摩書房の本●

〈ちくまプリマー新書〉
虹の西洋美術史
岡田温司

出現の不思議さや美しい姿から、古代より思想・科学・芸術・文学のテーマとなってきた虹。西洋美術でその虹がどのように捉えられ描かれてきたのかを読み解く。

〈ちくま学芸文庫〉
読む聖書事典
山形孝夫

聖書を知るにはまずこの一冊！　重要な人名、地名、エピソードをとりあげ、キーワードで物語の流れや深層がわかるように解説した、入門書の決定版。

〈ちくま学芸文庫〉
旧約聖書の誕生
加藤隆

旧約聖書は多様な見解を持つ文書を寄せ集めて作られた書物である。各文書が成立した歴史的事情から旧約を読み解く。現代日本人のための入門書。

ブックデザイン　神田昇和

架神恭介 かがみ・きょうすけ
1980年生まれ。広島県出身。作家。早稲田大学卒業。著書に『仁義なきキリスト教史』『よいこの君主論』（以上、ちくま文庫）、『完全教祖マニュアル』（ちくま新書、辰巳一世との共著）など多数。

池上英洋 いけがみ・ひでひろ
1967年生まれ。広島県出身。東京造形大学教授。東京藝術大学卒業、同大学院修士課程修了。著書に『レオナルド・ダ・ヴィンチ　生涯と芸術のすべて』（筑摩書房）、『残酷美術史』（ちくま学芸文庫）、『西洋美術史入門』（ちくまプリマー新書）など多数。

仁《じん》義《ぎ》なき聖書美術《せいしょびじゅつ》 旧約篇《きゅうやくへん》

二〇二〇年三月二五日　初版第一刷発行

著者　架神恭介
著者　池上英洋
発行者　喜入冬子
発行所　株式会社筑摩書房
東京都台東区蔵前二―五―三　郵便番号一一一―八七五五
電話番号　〇三―五六八七―二六〇一（代表）
装幀者　神田昇和
印刷・製本　三松堂印刷株式会社

ISBN978-4-480-87405-4 C0070